作者夫婦與在美內外孫於洛城哈崗寓所後院合影

作者小傳

周伯達 別號濱聞，湖南人也。一九一七出生於華容彭家橋。童年就傳在先祖父督促下，熟讀四書五經。三三年入岳郡聯師，卒業後，復入省立衡山師範。抗戰軍興之翌年，棄文習武，參加抗日戰爭。四五年抗戰勝利，積功升陸軍中校，四九年晉升上校，隨軍至台灣，五六年退役，從事中國哲學暨三民主義哲學之研究。六〇年代初期，進入三民主義研究所任研究員，後編入中國國民黨中央黨部，歷任設考會組工會總幹事。八二年十二月，於生產事業黨部書記長職務內屆齡例退，旋移居美國洛杉磯（L.A.）哈仙達（Hacienda Heights）。著有：心理作戰綱要、兵學與哲學、孔孟仁學原論、周易哲學概論、心物合一論、中國哲學與中華文化、介石先生思想與宋明理學、中山先生思想與中華道統、近卅年的中國（民國卅九年至六十九年之回顧與前瞻），什麼是中國形上學（儒釋道三家形上學申論）等書，九八年將有關哲學著作七種，統一刊行，名曰濱聞哲學集刊。夫人施秀芳，二二年出生於江蘇海門中央鎮，日本靜岡藥科大學畢業，從事教育工作數十餘年，退休後，一同移居美國。

濱聞哲學集刊總目

本集刊是三代以後，對中國哲學認識最深、最廣、最正確，更具啓發性之著作，凡喜愛中國哲學，而願升堂入室，以見得此心之仁，證得人之本來面目者，允宜人手一集。

濱聞哲學集刊之一

孔孟仁學原論

本書是從仁之本身對孔孟仁學，作哲學的解讀，確能發明其原義，與注疏家釋仁，截然不同。民國五十三年初版，原名「孔孟仁學之研究」，茲重加整理，并改今名後再版刊行。

濱聞哲學集刊之二

周易哲學概論

本書從「怎樣讀周易」，說到「卜筮之學」，說到「虞翻之消息」、「焦循之旁通」，以及邵子先天易學與「來氏易」等等，是詳述周易哲學與象數之學。民國五十四年完成初稿，藏之篋中卅餘年，茲稍加整理後刊行。

濵聞哲學集刊之三

心物合一論

本書分爲導論，物之分析，心之分析，心物之合一，心物與人生及結論等六篇，是從物與心之分析，而說到心物「二者本合爲一」，以證明「精神與物質均爲本體中的一部份」。民國四十六年完成初稿，民國六十年初版發行。茲稍加整理，再版刊行。

濵聞哲學集刊之四

什麼是中國形上學——儒釋道三家形上學申論

本書對於儒釋道三家之本體哲學，宇宙哲學與認識哲學，皆有極深而研幾之描述，以期真能表達中國形上學究竟是什麼？因本書涉及中國哲學之全部，故可視爲中國哲學概論，亦可視爲中國哲學史簡編。自一九八三年開始執筆，迄九四年完成初稿，約五十萬言，茲特再加整理後刊行。

濵聞哲學集刊之五

中國哲學與中華文化

本書係收集民國五十年代至六十年代，有關中國哲學與中華文化之拙著編輯而成，多已在學術刊物發表，其中「中華民族文化與世界之未來」一篇，原編入臺北幼獅書店「青年理論叢書」，曾於民國五十八年六月初版印行。

濱聞哲學集刊之六

介石先生思想與宋明理學

蔣介石總統，喜好哲學，嚮往道統，服膺中山主義，傳承宋明理學，皆頗有所得。本書係說明蔣總統在哲學思想、政治思想與教育思想等三方面，對宋明理學之貢獻。民國五十五年十月三民主義研究所初版，原名「總統思想與宋明理學」，茲稍加整理，并改今名後再版刊行。

濱聞哲學集刊之七

中山先生思想與中華道統

本書是本於學術的立場，對中山思想作哲學的解讀，以明瞭其思想淵源，并及其全體大用。一九七八年五月初版，曾獲是年中山學術獎，原名「三民主義之哲學基礎」。茲特重加整理，并改今名後再版刊行。

濱聞哲學集刊之六

周伯達著

介石先生思想與宋明理學

臺灣學生書局印行

再版自序

民國五十五年，先總統蔣介石先生八十大慶時，黨內三民主義研究所，特編印「總統思想研究叢書」，以祝嵩壽。作者當時爲所內少數研究員之一，經約定撰述「總統思想與宋明理學」。叢書於是年十月印行，迄今已卅又一年了。其在當時，應是頌聖之作。現重讀舊著，絕無阿諛不實之詞。讀書人，貴在絕不曲學阿世而又能有益於世道人心。誠然，讀書人，自應本其一己之興趣，而有各自之天地。這就是說，對於我之所見，可能有各種不同的看法。不過，有一種思想：爲了救國，爲了抵禦外侮，而主張恢復國魂，主張恢復民族固有的美德，主張恢復先賢「存養省察」的工夫，主張把哲學「獨立發揚起來」，主張「哲學思想的建設，主要是一種治心的工夫」，是窮理明德之學，如此等等，全是爲了恢復「我們中國王道的民族精神」，并結合現代的民主與科學，亦即以倫理、民主與科學來實踐孫中山先生的理想。這就是：「以倫理來實踐民族主義」，「以民主來實踐民權主義」，「以科學的精神和方法來實踐科學的民生主義」。也就是：將儒學或宋明理學與現代的民主科學結合起來以形成一種建國的思想。這是推陳而出新的。這個思想，在道德方面來說，「是化家族倫理而爲民族倫理，是將忠孝兩字講到極點」；在政治方面來說，「是化內聖的修養工夫而爲民主的生活方式，是將忠恕兩字或信義兩字講到極點」。這就是說，這個把倫理民主與科學結合起來的思想，在政治道德方面，必是將忠恕兩字講到極點；在法治精神方面，必是將信義兩字講到極點。再者，在人民生活方面，「一定要改造世界經濟制度和思想，使科學與技術順應人性的發展而爲人生服務」。這「是化貧富不均而使享受大眾化，是將仁愛兩字講到極點」。這個將忠孝仁愛信義講到極點的思想，必有益於世界和平。這是將我國固有道德或文化精神與孫中山的三民主義的思想結合起來，以期實現「政治民主（民權），經濟平等（民生），萬邦協和（民族）之大同社會」。我們對這個思想，作系統的研究與闡揚，是應該有個好的影響。這難免有仁智之不同。但是，經卅年之反覆思辨，深覺本書結論所說，這個「思想確是救國救民以至救世界的信心的根源，也是救世的最有效的方法」，這確是至當不移之論。

當本書初版印行時，國際共產主義，猶未顯露敗象。艾森豪總統繼杜勒斯的「圍堵」而提出了解放政策。這確是揭示了制勝的先機，是非常了不起的。本書結論中曾說：

> 共產主義之所以能造成如此之大的厄運，實衹是我們人類由於環境的某種不良影響而產生了追求人類最終理想的錯誤希望，并由於此種錯誤的希望而產生了錯誤的信仰。慘痛的教訓，是可以使人恍然大悟的。覺悟的人是會放棄錯誤的信仰而改正其希望的方向。這就是說，當人類在苦難與恐懼之生活中，而發覺其所生活的世界是日益普遍的不安，而且是日益普遍的趨向黑暗與至於不可忍受時，人類是會本於其自己的本性，亦即本於人類的良知良能而修正其錯誤的希望或信仰。此種由於人類的良知所產生的信念與力量，是可以突破一切障礙而引導人類渡過今日所處的危險關頭。

時間已實現了艾森豪的理想，也證明了我們這個信念是正確的。哲學的認知或信念，絕非術士的預言。我們本於儒家性善之說，深信人類的本性若能發揮其應有的功能，它必會化解危機而解決困難的問題。這就是說，這個以倫理而結合現代民主與科學的思想，若能發揚光大，它必會發揮人性的光輝，而成爲消除世界危機與人類禍患之精神力量。

最後仍須指陳者，本書初版時，原名「總統思想與宋明理學」。純從學術的立場來說，我們應將這個思想，當做個人的思想來研究，所以特將書名更改爲「介石先生思想與宋明理學」。全書內容，與初版完全無異。

一九九七年八一老人華容 **周伯達** 於洛杉磯哈仙達住所

初版自序

蔣總統介石先生思想是繼承傳統文化之眞精神，並融會貫通三民主義，而予發揚光大。至於傳統文化之眞精神，這是必須深造自得者。因此，吾人硏究介石先生思想，應能理解其深造自得者是什麼，才眞是懂得了他的思想，否則祇是宮牆外望而已。許多硏究介石先生思想的人，對於其手著「自勉四箴」可能不大注意；對於「硏幾於心意初動之時」，亦祇會從文字方面索解。殊不知「心意初動」，這是工夫上語，這不是「記問之學」，這就是深造自得者。幾年前，我曾抄錄「自勉四箴」問一位學禪而深有造就的老人：「這見得如何？」他說：「確有所見。」我告訴他這是蔣總統所作，他非常驚訝不已。這或許祇可爲識者談而不足爲外人道。然而不深明此理，對於介石先生思想便不見得眞能懂得。本書之作，是希望對於介石先生之所見者，能作較爲詳盡之闡明，並因而闡明其整個思想體系。不過，這是一個非常艱鉅的工作，我未敢說眞能達成我所欲達成之目的，我祇是確能如此信得過去而陳述我之所知所信而已。

本書除導論與結論外，僅就內聖的哲學思想，外王的治平思想，及革命的教育思想等三方面而闡明介石先生對宋明理學之貢獻。吾人認爲，革命思想、建國思想、建黨思想、建軍思想，及兵學思想等，與宋明理學，並非全無關係；然此五者，皆與介石先生之勛業有關，非純屬於思想之範疇，在本書中，故闕而未論。再者，介石先生的倫理思想，是民族主義的實踐篤行與融會貫通；他的民主思想，是民權主義的實踐篤行與融會貫通；他的科學思想，是民生主義的實踐篤行與融會貫通。至於政治思想，是可以納入於民權主義的範疇；經濟思想與社會思想，則皆可納入於民生主義的範疇。此倫理科學民主及民族民權民生與政治經濟等類思想，就是大學所講的治國平天下的外王思想。此外王的治平思想，是以內聖的哲學思想作基礎的。這就是說，介石先生思想是以儒家的內聖思想作基礎，且以三民主義的外王思想爲中心而融貫其他一切思想，而又是實踐篤行三民主義，與發揚光大傳統文化或宋明理學者。本書之作，即在於闡明此淵源有自之思想體系之主要內容，且藉以理解介石先生思想與宋明理學之關係。一般說來，教育思想是可以納入於社會思想之中。本書之所以特立專章而加以討論者，良以教育問題爲理學家所最重視，且教育思想在介石先生思想中亦是非常重要的一部份。教育乃人類由蒙昧而進入文明的最主要的功用。內聖思想的形成，外王思想的實現，亦全賴教育，才可以獲得成功。教育本身，確是非常重要的。

我自民國二十八年，在軍事學校受訓時開始研究介石先生思想以來，每覺對於學業稍有進步，便對於他的思想有進一步認識。近十年來，因潛心於宋明理學之研究，故得能窺知介石先生思想之究竟。以愚見所及，當代學人，對宋明理學之造詣，能如介石先生之有深入研究者，實不多見。即如號稱一代大師之胡適，及以「新理學」一書而享盛名之馮友蘭，他們對於宋明理學便不是真有研究。現代人因誤解宋明理學而反對者，更大有人在。在拙著「孔孟仁學原論自序」中我曾說：「我們中國哲學，在有清一代，不僅是沒有得到正當的發展，而且是被皇清經解的那些注疏家們弄得支離破碎而死了。因此，我們欲真能懂得孔孟的仁學，是祇有繼承宋明理學家的路數而復活孔孟的哲學。」這個「路數」確是復興中國哲學而使之現代化的唯一的途徑。介石先生即是依照這個途徑而將宋明理學發展爲實踐三民主義的革命哲學，並因而創立其思想的體系。因此吾人欲真能懂得這個思想，宋明理學之研究確是必須的。本書之作，亦是提供了研究這個思想的最主要的方法。

吾人仍須陳述者，即本書之作，在時間與篇幅上都是先有約定的。因爲須在一定之時間內交稿，難免不因匆促而有遺漏；因爲篇幅有限，難免不有意的予以簡略。雖然已較原定之篇幅超出甚多，但未能詳加說明之處仍然不少。不過，這並不妨礙我們對於介石先生整個思想體系之理解。再者，本書之作，本所（三民主義研究所）所長張鐵君老先生所給予我之鼓勵與啓示至大，謹於此致虔誠之謝意。

民國五十五年八月於陽明山莊

三民主義研究所原序

本年——民國五十五年十月三十一日爲　總統蔣公八秩華誕大慶，本所爲恭祝我國這位領導國民革命、北伐、抗日、反共復國的偉大領袖，謹編印這部　總統思想研究叢書以加深國人對總統思想的認識與信仰，俾能在總統領導下完成復國建國的神聖使命。

總統思想是繼承　國父思想發揚光大的一種偉大體系。　國父思想本是因襲我國的固有思想與規撫歐洲的學說事蹟，融會貫通斟酌損益而獨創的一種主義。惟　國父與總統所處的時代環境不盡相同，　國父從事革命時期，滿清的士大夫階層甚至當時的智識分子，不僅民族意識消沈，尤其是民主思想全未啓發，但孔孟經義卻爲全國上下所一致尊視。所以　國父除堅持我國文化的道統外，不能不偏重民主制度與科學知識的倡導。　總統領導革命時期，民主與科學已爲各階層人士深信不疑。不幸遭遇蘇俄帝國主義，利用毛共肆意侵略，奪佔我土地，屠戮我人民，並進一步欲根絕我民族文化。而資本主義民主國家的學術界，又以其個人主義與功利主義思想不斷的向我國侵入，更爲國際共產助餤揚波，致使我國學人及青年，對民族文化的自信心日愈消失。淺見之徒竟目孔子學說爲孔滓孔塵，而倡言中國非全盤西化不足以圖存。因而民族文化在蘇俄的唯物主義與歐美的功利主義夾攻之下破壞無疑。結果，禮義不明，廉恥不知，責任不負，紀律不守，祇剩下骸骨而喪盡了心靈，大陸的淪陷當然是勢所必至的了。所以 總統於民主科學之外，不能不以復興傳統文化爲急務，可以說，總統的思想是從傳統文化的土壤內孕育而發展出來的。由於 國父與 總統所處的時代不同，不能不針對時代的要求而對症下藥。我們研究遺教與訓詞之必須了解時代的背景，其理由在此。

中國的傳統文化，本來是注重「精」「一」「中」的，所謂「惟精惟一，允執厥中。」國父與 總統這兩位革命導師，對於我國這十六字心傳的道統，都是先後繼承的。道統本由堯舜禹湯文武周公相傳下來，孔子集堯舜禹湯文武周公道統的大成，傳至孟子，韓昌黎說：「軻之死不得其傳焉」。其實千餘年後，不絕如縷的道統，又由周濂溪的通書繼承下來。濂溪後是二程兄弟。朱、陸各得大程小程的統緒。朱欲由博而約，陸欲由約而博，兩人固相互齟齬，實則殊途同歸。到了王陽明的知行合一，這道統的發揚已進一層。 國父是直接繼承孔子，今 總統蔣公再承繼 國父的統緒而以陽明爲輔益，將我國幾千年來歷代相承的道統思想，更進一步予以發揚。以上就「內聖」功夫來說，若就「外王」的功夫說，那就要談到治國平天下的道理。 總統在治國的思想上，第一要提到政治思想。 總統關於政治的訓詞，約數十萬言，惟「政治的道理」一演講，可說是精義所在。過去一般談政治者，常將法治與人治對立起來。然而 總統主張人治的「人」，不僅指的是執法的人，立法的人，尤其重要的是指那些應該守法的全體人民。在高位者固然要仁人，一般普通的老百姓也要使之成爲一些「有恥且格」的人。 總統說：「我們可以說整個中國的政治思想，綜括一語以貫之，就是要把人的品格提高起來，把人的價值或功效發揮出來，把人和人的關係修明起來。中國政治的目的，爲政的精義，就是以人爲本，所以爲政在人。」這是　總統政治思想繼承我國人治的文化傳統而發揚出來的一種新義。

總統的經濟思想是民生與國防的合一。　總統「中國經濟學說」一書，可說是總統的代表作。就國防的目的說在「保民」，民生的目的在「養民」。但民生主義經濟，　總統主張：「不取自由放任，不取階級鬥爭」，「要把工業革命與社會革命畢其功於一役。」　總統用兩個字來統括民生主義經濟的精義，那就是「均富」。工業革命在求「富」，社會革命在求「均」，所以說：「應使人民的經濟自由與國家的經濟計劃融爲一體」。　總統反對馬爾薩斯的人口論，不主張節制生育。經濟的繁榮，以人口勞力的眾庶爲前提，這些思想都是本之於孔子的「庶」而後「富」的傳統，也就是大學所說「有人此有土，有土此有財，有財此有用」的意義，至於　總統之所以要反對自由放任的個人主義，與階級鬥爭的唯物主義，因爲他們都祇知盡物之性，不知盡人之性，祇知各個小我的「人欲」，不知仁民愛物的「人性」。不論資本主義的自由競爭，或馬列共產主義的階級鬥爭，都同一是「縱欲」主義，這是世界幾次大戰真正的「火種」。　總統的經濟思想特別重視人性，所以仍然和傳統的倫理哲學分割不開的。

不僅　總統的政治思想與經濟思想與我國倫理道德哲學分割不開，甚至軍事思想也由倫理道德的修養出發。一般人都以爲軍事是要動變無常。　總統將大學之道的定、靜、安、慮的功夫，指示高級將領。謂「定」就是治氣，「靜」就是治心，「安」就是治力，「慮」就是始計與謀攻，有此四字的修養，最後才能有「得」。政治經濟與軍事等思想，是　總統治國之本。惟　總統「平天下」方面，我們也應該稍有體認。因此，我們必須研究　總統的外交觀，所謂外交，孫子稱之爲「伐交」，本來就是一種戰爭，也可以稱之爲外交戰。　總統指出外交戰是一種無形的戰爭。此種戰爭「其成敗勝負之價值，則超於任何一切戰爭之上。」「而外交之折衝撙俎，其致力之遠，收效之大，有遠勝於軍事什百千倍者」。　總統在抗戰時曾說：「我們抗戰不僅要全力來保衛本國的生存，更要保衛國際信義，人類公理與遠東及世界的和平。」這些指示，都是從固有文化中「講信修睦」的民族精神發展出來的。

平天下的目的，當然要達到大同之世。　總統對大同世界的解釋，認爲大同世界中，國家是存在的，祇是一種各民主國家主權平等的世界。倘若國家不存在了，何必還說什麼「講信修睦」，因爲有國與國的關係，才有信與睦可言。家庭在　總統看來，在大同世界內也是存在的：「兒童不會失去教養，壯年都能得職業，男女有配偶，老年都有歸宿，家庭生活安定，育的問題全部解決。」倘大同之世沒有家庭，何必要說什麼「不獨親其親，子其子」呢？「不獨」二字又作何解釋？無家庭「親」與「子」的名詞從何而來？總之　總統思想與傳統文化不僅有密切的繼承關係，而且更使之發揚光大。要恢復民族的自信心祇有從　總統的思想中將民族傳統文化再重新的恢復過來。吾人研究　總統思想，這是應該先認識清楚的。

本叢書由本所張鐵君先生主編。執筆者均對　總統思想，研究有素。惟以時間倉促，延攬未周，殊覺遺憾。不過，本叢書乃爲研究　總統訓詞之參考書籍，對於研究訓詞者，當不無裨益也。是爲序。

三民主義研究所　十月於陽明山莊

濱聞哲學集刊之六

介石先生思想與宋明理學

目錄

第一章　導　論

第一節　理學的基本概念

一、心學與理學

吾人欲瞭解先總統蔣介石先生思想與宋明理學之關係，應先瞭解宋明理學是什麼。所謂宋明理學，通常是指程朱一派之理學及陸王一派之心學而言；因為所謂理學，即是指辭章考據以外的義理之學。義理可以說是理之義。程朱一派之理學，固是講理之義者；陸王一派之心學，亦何不嘗不是講理之義者。從這種觀點來說，這兩派所講的並非不同，此所以這兩派所講之學通稱為理學。

元代修宋史，於儒林傳外，另立道學傳，以記當時所認為能繼承文王周公孔孟之「聖賢不傳之學者」❶。此傳以朱子為中心，陸象山楊慈湖則僅列於儒林傳。明史儒林傳亦云：「宋

❶ 宋史卷四百二十七道學傳序。

史判道學儒林爲二，以明伊洛淵源，上承洙泗。儒宗統緒，莫正於是。」❷又云：「學術之分，則自陳獻章王守仁始。宗獻章者，曰江門之學。孤行獨詣，其傳不遠。宗守仁者，曰姚江之學。別立宗旨，顯與朱子背馳。門徒遍天下，流傳逾百年。其教大行，其弊滋甚。」（註同上）歷史學家的此種看法，當然未見得完全正確，卻已可見一般人認爲陸王之學不是儒學的正統，亦由此可見陸王之學與程朱之學必大有不同。

吾人認爲，陸王一派之心學與程朱一派之理學，雖有修養方法之不同，或甚至有哲學上的差異；然而此兩派所討論的，卻離不開理氣心性這一類的問題；所以這兩派所欲解決的問題大體是相同的。吾人更認爲，陸王之學，不僅是繼承了孔孟的「聖賢不傳不學」，而王學則是朱陸之學的進一步的發展。這是吾人對宋明理學與心學的基本看法。

二、理氣與太極

理學既是講理之義者，理當然便是理學最基本的概念。理究竟是什麼呢？照朱子的看法，理是天地之所以爲天地暨萬物之所以爲萬物者。朱子說：

未有天地之先，畢竟也只是理。有此理便有此天地。若無此理，便亦無天地，無人無

❷ 明史卷二百八十二。

物，都無該載了。有理便有氣，流行發育萬物。❸

又說：

太極只是天地萬物之理。在天地言，則天地中有太極，在萬物言，則萬物中各有太極。未有天地之先，畢竟是先有此理。(註同上)

又說：

太極只是個極好至善的道理。❹

照朱子此說，則知理便是太極，且有理便有氣。然則氣與太極又是什麼？太極一詞，首見於易繫辭。宋儒所講之太極，雖受有道家的影響，大體上卻仍是根據易傳而加以發揮者。濂溪先生「太極圖說」云：

❸ 朱子語類卷一。

❹ 語類卷九十四。

無極而太極。太極動而生陽，動極而靜，靜而生陰。靜極復動。一動一靜，互為其根。分陰分陽，兩儀立焉。陽變陰合而生水火木金土，五氣順布，四時行生焉。五行一陰陽也，陰陽一太極也，太極本無極也。❺

照濂溪先生此說，則整個太極，便都是陰陽五行之氣。不過，此所謂氣，非全是指物質之氣而言；因爲物是「動而無靜，靜而無動」（註同上），太極則是「一動一靜，互爲其根」的。通書云：「動而無靜，靜而無動，物也。動而無動，靜而無靜，神也。動而無動，靜而無靜，非不動不靜也。物則不通，神妙萬物。」通書此說，是謂太極爲神。然則神是什麼呢？通書有云：「二氣五行，化生萬物。五殊二實，二本則一。是萬爲一，一實萬分。萬一各正，小大有定。」❻此化生萬物之二氣五行，既是「二本則一，是萬爲一，一實萬分」，則此妙萬物之神便就是一。然則一又是什麼呢？通書此節題爲理性命章，則所謂一者即理也。因此，太極既含有陰陽五行之氣，而又能「神紗萬物」，所以亦就是理。理氣與太極，確是宋明理學中最基本的概念，欲明其究竟，仍須就形上與形下這兩個概念而略加說明。

三、形上與形下

---

❺ 周子全集卷一。

❻ 通書、動靜第十六、全集卷五。

形上形下之說，亦首見於易繫辭，所謂「是故形而上者謂之道，形而下者謂之器」。然則什麼是道與器呢？伊川云：「一陰一陽之謂道。道非陰陽也，所以一陰一陽者道也。」❼又云：「離了陰陽便無道；所以陰陽者是道也。陰陽氣也。氣是形而下者，道是形而上者；形而上者，則是密也。」❽照伊川此說，則形而下者之器，即是在時空中之具體的物事；形而上者之道，即是此具體物事之所以爲具體物事者。馮友蘭認爲：「形而上者之道，即超時空而永存之抽象的理」，❾此是以西洋哲學解釋理學，與理學原意並不相符。吾人欲能獲得正解，仍須就朱子所說的而加以體會。朱子云：

凡有形有象者，即器也；所以為是器之理者，則道也。❿

又云：

形而上者，無形無影是此理；形而下者，有情有狀是此器。⓫

❼ 通書、理性命第二十二、全集卷六。
❽ 程氏遺書卷三。
❾ 遺書卷十五。
❿ 馮友蘭著中國哲學史第二篇第十二章。

又云：太極是五行陰陽之理皆有，不是空的物事。若是空時，如釋氏說性相似。⑫

又云：無極而太極，不是說有個物事，光輝輝地在那裡。只是說當初皆無一物，只有此理而已。（註同上）

又云：太極，形而上之道也；陰陽，形而下之器也。是以自其著者而觀之，則動靜不同時，陰陽不同位，而太極無不在焉。自其微者而觀之，則沖穆無朕，而動靜陰陽之理，已悉具於其中矣。⑬

⑪ 與陸子靜書，文集卷三十六。
⑫ 語類卷九十五。
⑬ 語類卷九十四。

太極「不是空的物事」，所以太極是「有」；太極「不是說有個物事，光輝輝地在那裡」，所以太極是無形無影的。若用西方哲學的觀點來說，太極既是具體的，也是抽象的，而且是抽象與具體不可分的。所謂「自其著者而觀之」，即是自具體而觀之，則「太極無不在焉」；這「無不在焉」就是「易」，亦就是非一成不變的。所謂「自其微者而觀之」，亦可以說是自抽象而觀之，則雖是無形無影，「而動靜陰陽之理，已悉具於其中」；所以此所謂抽象，與西洋哲學所謂之抽象是完全不同的。因爲此所謂抽象與具體，或者說，此所謂形上與形下，是不一亦不二的。能明乎此，才真能理解「是萬爲一，一實萬分」之真正意義是什麼。這是講宋明理學最吃緊的地方。必須明乎此，吾人對於理、氣、太極、形上、形下等概念，才真能有正確的理解。

四、心與性

吾人仍須作進一步說明的，即心與性，亦是宋明理學中最基本的概念。程氏遺書云：「蓋上天之載，無聲無臭，其體則謂之易，其理則謂之道，其用則謂之神，其命於人則謂之性，……形而上爲道，形而下爲器，須着如此說。器亦道，道亦器；但得道在，不繫今與後，己與人。」⓮伊川亦云：「在天爲命，在義爲理，在人爲性，主於身爲心，其實一也。心本善；發於思

⓮ 太極圖說注。

慮，則有善有不善。若既發則可謂之情，不可謂之心。」⓯照程氏此說，則道器或性心命理，「其實一也」。上文我們曾說到，形上與形下，不一亦不二；此所謂「其實一也」，即是指「不二」而言的。不一亦不二，這是釋氏之說⓰。濂溪的「太極圖說」，邵子的「先天之學」，以及伊川的「體用一源，顯微無間」之說，皆是與不一亦不二之說相通的。吾人祇要能識得「是萬爲一，一實萬分」，便能識得何謂「不二」。若祇從不二來說，則便是無可說。因此，學問之道，在於能識得「不一」，而又能「一以貫之」。照朱子的看法，心是可以「一以貫之」的。朱子說：

> 性、情、心，惟孟子說得好。仁是性，惻隱是情，須從心上發出來。心統性情者也。性只合是如此底，只是理，非有個物事。若是有底物事，則既有善，必有惡。惟其無此物，只有理，故無不善。⓱

又說：

⓯ 遺書卷一。
⓰ 遺書卷十八。
⓱ 中論破因緣品。

性者心之理；情者心之動；才，便是那情之會恁地者。情與才絕相近。但情是遇物而發，路陌曲折恁地去底；才是那會如此的。要之，千頭萬緒，皆是從心上來。（註同上）

又說：

仁義禮智，性也。性無形影可以摸索，只是有這理耳。惟情乃可得而見，惻隱羞惡辭讓是非是也。⑱

這是說，千頭萬緒，固皆是從心上來；然而性即理也，理是形而上者，是無跡象可尋的。卻因吾人有惻隱之情，故可推知吾人性中有惻隱之理，即所謂仁。如此類推，而知有禮義智等。這就是「即用以顯體」。也就是說，用有許多，故體之德亦有許多。不過，朱子認爲心與性是有區別的⑲，此與陽明心即理之說，是有哲學上的不同。吾人研究宋明理學，對於此類問題，都是應該先弄清楚的。

---

⑱ 語類卷五。

⑲ 語類卷六。

第二節　理學與道統

一、理學與佛學

有人認爲，胡適的中國哲學史之所以未能完成，是由於他不懂佛學。十年前，我研究陽明哲學時，右人告訴我，不懂禪便不會懂得陽明哲學。許多人皆認爲，宋明理學是援佛入儒。有些人竟認爲，理學是佛化後的新儒學。曾記有一位居士，在其講大乘佛教的著作中，說二程闢佛，乃違心之論。凡釋氏之徒，皆樂於說理學是竊取了佛學的思想，並樂於說佛理遠較儒學爲高深。實際上，這祇是一種門戶之見而已。許多對佛學與理學均缺乏真正認識者，常樂於人云亦云的如是我聞，馴致造成一般人對於理學與佛學的錯覺。

有些佛徒認爲，禪不是學問。他們的意思是說，禪是不可言說，亦是不由思慮的。所謂參禪，是要「離心意識參」，也就是要絕思去慮而又是活活潑潑的。這是一種修養工夫，不是一種學問。這應該祇有工夫上的程度不同，而無所謂學問上的高深不高深。佛學與理學可以說得上有關係的，是佛教中之心宗或禪宗。禪宗既非學問，因此而說佛理遠較儒學爲高深，便是自語相違。再就修養工夫的程度來說，對於沉空滯寂之佛教與在人常日用中實踐之儒家，實亦無法作一比較；若必須作一比較，則佛徒是怕被現實所累而逃之，儒家則認爲，凡得乎人常日用之正者，便是真「當下」，也便是真本體。佛徒每譏儒家未能證知本體⑳，這是佛

⑳　朱子曾說：「靈處只是心，不是性，性只是理。」見語類卷五。

徒不懂得儒學。又如禪宗門下，有認陽明所證得之良知，祇是「透重關」㉑而已，未「能踏末後一關」，這亦是不深知王學。因爲所謂「能踏末後一關」，是在於「無明執著，自然消落」；若未至於此境，亦是不能識得陽明所謂之良知。吾人認爲，儒釋道三家所謂之本體，若祇就「未發」而言，並無根本上的不同；若就已發而言，則佛徒是本於至私之心而體會他們所謂之本體，理學家則是本於至公之心而體會儒家所謂之本體。這是理學與佛學最基本的不同。由此亦可證二程之闢佛，確非違心之論。程氏遺書云：

> 乃知釋氏苦根塵者，皆是自私者也。㉒
>
> 今且以跡上觀之，佛逃父出家，便絕人倫，只為自家獨處於山林，人鄉裡豈容有此物，大率以所賤所輕施於人，此不惟非聖人之心，亦不可為君子之心。釋氏自已不為君臣父子夫婦之道，而謂他人不能如是。容人為之，而已不為，別做一等人，若以此率人，是絕類也。至於言理性，亦只是為死生，其情本怖死愛生，是利也。㉓
>
> 天地之間，有生便有死，有樂便有哀，釋氏所在，便須覓一個纖（一作綴）奸打訛處，言免生死，齊煩惱，卒歸乎自私。（註同上）

㉑ 玄奘上唐太宗疏有云：「六爻探賾，拘於生滅之場；百物正名，未涉真如之境。」這是玄奘識孔子未證體。

㉒ 禪宗有破初參、透重關、踏末後一關的三關之說。清世宗（雍正）御製語錄總序言之頗詳。

㉓ 遺書第三。

二程認「佛莊之說，大抵略見道體」(註同上)；惟佛氏自私，「老氏之學，更挾些權詐」(同上)。儒釋道三家之同異，以及宋儒之所以闢佛老已如此可見。因儒釋兩家所談之道體，並無根本上的不同，所以許多人誤會宋以後之儒家是援佛入儒；又因儒家不著重於談玄說妙而著重於在人常日用上之實踐，所以一般人誤會儒學不及佛理高深。吾人研究宋明理學，這也是應該先弄清楚的。

二、理學與道統

吾人已瞭解理學與佛學之同異，現再進而說明理學確不是佛學，而是宏揚道統的中國哲學。

以上我們已依程氏遺書的「以迹上觀之」而知儒佛之不同，現再就陽明「象山文集序」所說的而證明理學確不是佛學。陽明先生曰：

聖人之學，心學也。堯舜禹之相授受曰，人心惟危，道心惟微，惟精惟一，允執厥中，此心學之源也。中也者，道心之謂也。道心精一之謂仁，所謂中也。孔孟之學，惟務求仁，蓋精一之傳也，而當時之弊，固已有外求之者，故子貢致疑於多學而識，而以博施濟眾為仁，夫子告之以一貫，而教以能近取譬，蓋使之求諸其心也。迨於孟氏之時，墨氏之言仁，至於摩頂放踵；而告子之徒，又有仁內義外之說，心學大壞。孟子闢義外之說，而曰仁人心也，學問之道無他，求其放心而已矣。又曰，仁義禮智，非由外鑠我也，我固有之，弗思耳矣。蓋王道息而伯術行，功利之徒，外假天理之近似，以濟其私，而以欺於人曰，天理固如是。不知既無其心矣，而尚何有所謂天理者乎！自是而後，析心與理而為二，而精一之學亡。世儒之支離，外索於刑名器數之末，以求明其所謂物理者，而不知吾心即物理，初無假於外也。佛老之空虛，遺棄其人倫事物之常，以求明其所謂吾心者，而不知物理即吾心，不可得而遺也。至於宋周程二子，始復追尋孔顏之宗，而有無極而太極，定之以仁義中正。而主靜之說，動亦定，靜亦定，無內外，無將迎之論，庶幾精一之旨矣。自是而後，有象山陸氏，雖其純粹和平，若不逮於二子，而簡易直截，真有以接孟子之傳。其議論開闔，時有異者，乃其氣質意見之殊，而要其學之必求諸心，則一而已。故吾嘗斷以陸氏之學，孟氏之學也，而世之議者，以其嘗與晦翁之有同異，而遂詆以為禪。夫禪之說，棄人倫，遺物理，而要其歸極，不可以為天下國家。苟陸氏之學而果若是也，乃所以為禪也。今禪之學，與陸氏之說具存，苟取而觀之，其是非同異，當有不待於辯說者，而顧一倡群和，剿說雷同，如矮人之觀場，莫知悲笑之所自，豈非貴耳賤目，不得於言，而勿求諸心者之過歟。夫是非同異，每起於人。持勝心，便舊習，而是已見。故勝心舊習之為患，賢者不免焉。㉔

㉔ 王文成公全書卷十五。

照陽明先生此說：第一、宋明理學，無論是心學或理學，確都不是佛學。一般說來，宋明理學中之心學是較為近乎禪的。陽明對於象山之理解，當比一般人為清楚。今陽明既為陸氏鳴冤，而辯明陸氏之學非禪，則凡詆心學為禪學者，皆「如矮人之觀場，莫知悲笑之所自」，而祇是隨別人或悲或笑而已。為什麼會有人誤會心學為禪學呢？因為其學「必求諸心」，與禪宗的「見性」之說，頗有相似之處。我們也可以這樣的說，凡以孟子為宗而追尋孔顏不傳之學者，必與禪學頗有相似㉕。這便是儒釋兩家所談之道體之所以無根本上的不同。為什麼心學畢竟不是禪學呢？因為孔孟之學，是著重於內聖外王之一貫；而釋氏之學，則是「棄人倫，遺物理」。如程氏遺書所說的「皆是自私」。說釋氏「皆是自私」，或許不為一般人所贊同。實際上，有成仙成佛之念者，便就是自私。禪宗門下，有「佛來佛斬」㉖之說，此似是已破除了希望成佛的自私之念；然因其已皈依空門，終不能語聞君子之大道。第二、現在我們應進而說明理學何以是宏揚道統的中國哲學。孟子盡心下有云：「由堯舜至於湯，五百有餘歲，若禹臯陶，則見而知之，若湯則聞而知之。由湯至於文王，五百有餘歲，若伊尹萊朱則見而知之，若文王則聞而知之。由文王至於孔子，五百有餘歲，若太公望散宜生則見而知之，若孔子則聞而知之。由孔子而來，至於今，百有餘歲，去聖人之世，若此其未遠也，

㉕ 王文成公全書卷七。

㉖ 圭峯宗密禪源諸詮集都序有云：「若頓悟自心，本來清淨，元無煩惱，無漏智性，本自具足，此心即佛，畢竟無異，依此而修者，是最上乘禪。」此實與陽明所謂之心學相似。

近聖人之居，若此其甚也，然而無有乎爾，則亦無有乎爾。」這是孟子在講道統。孟子所講的道統究竟是什麼呢？我們可從孟子七篇中求之。宋明理學之言心言性及仁義禮智等等，都是孟子七篇中所討論的主要問題，這當然是在於傳孔孟不傳之學。我們可以這樣的說，宋明理學家，大體上是融會貫通了周易及四書的理論而建立其哲學的本體論宇宙論及人生論；同時，他們是本於孟子的求放心而正心誠意的以求諸其心。程朱主敬，其他理學家之主靜，都在於求得放心。誠然，主靜之說，頗近於禪。然而禪宗之學，在於掃清一切滯礙，俾明本性；孟子之學，則認爲「是集義所生者」。這兩者是完全不同的。陸王一派之心學，他們雖然主靜，卻祇是較爲「簡易直截」而「以直養」之，所以並未落於「空虛」而變成禪。因其如此，所以宋明理學，確是直接孔孟之心傳而宏揚了我國的道統。韓愈在原道中曾說：「軻之死，不得其傳焉。」他是自命爲能得孔孟之真傳的。實際上，韓愈祇是文人之雄耳，能得孔孟之真傳者，當然是理學興起以後的事。我們認爲，理學的興起，乃是儒者能突破辭章之學的束縛（從這點來說，韓愈是大有功於理學），而又能接受佛學的挑戰；於是乃對於先秦的儒學，能作出深入的理解。儒家若無孟子，則孔子之言性與天道，很難爲後人所識得；若無宋明理學之興起，則先秦儒學，亦將無從顯其光彩。文潞公題明道先生之墓曰：「先生生乎千四百年之後，得不傳之學於遺經，以興起斯文爲己任。辨異端，闢邪說，使聖人之道，渙然復明於世，蓋自孟子之後，一人而已。」何以文彥博會如此說呢？吾人當可以想見：自魏晉以迄隋唐，老佛何以盛行，儒學何以不振，此皆是由於自漢以來之儒者，不是囿於訓詁，便是溺於詞章，而缺乏真正的思想。人是會思想的動物。人類的思想，是必須日新又新的而創新不已。魏晉玄學，便是因兩漢經術思想的僵化所產生的一種新的思想；而隋唐佛學，則是以釋氏爲宗而融合兩漢經術與魏晉玄學的一種新的思想。因隋唐佛學，以釋氏爲宗，此非思想淵源有自之漢民族所能忍受。韓愈所表現的，祇是勢將燎原的星星之火而已，必待理學興起後，先秦儒家思想才又真的復興。理學是以孔孟爲宗而融合釋老之學的一種新的思想。一般人稱之爲新儒學，這是不錯的。這確是先秦儒學之發揚光大。文彥博對明道先生之評價，並非阿諛之詞，而實是代表一種真理。吾人研究宋明理，這也是先應該弄清楚的。

第三節　道統的式微

一、理學之流弊與漢學之興起

餘姚黃宗羲明儒學案自序有云：「有明文章事功，皆不及前代，獨於理學，前代之所不及也。牛毛繭絲，無不辨晰，真能發先儒之所未發。程朱之闢釋氏，其說雖繁，總是只在跡上。其彌近理而亂真者，終是指他不出。明儒於毫釐之際，使無遁形。」照黃氏此說，足見明代理學，確爲前代所不及。這是黃氏就明代理學之貢獻而言。但黃氏亦嘗謂「明人講學，襲語錄之糟粕，不以六經爲根柢，束書不讀，但從事於游談。」㉗因爲王學自再傳後，流弊叢生，學者不僅「束書不讀」，且細行亦不謹飭，以致爲有識之士所痛斥。除上述之黃宗羲

㉗ 所謂「佛來佛斬」，即是「不落聖境」，聖境且不落，何有成佛之私心。

外，尚有崑山之顧炎武，亦為明末學界之泰斗。兩氏皆反對晚明之理學。顧氏倡「經學即理學」之說，認為舍經學而言理學，皆為左道邪說，對於陽明，曾詆之不遺餘力，並比之為王衍王安石，以為晚明之禍，皆由良知之說所釀成。黃宗羲雖不詆毀陽明之學，卻認為學者必先窮經。經術所以經世，乃不為迂儒。又謂讀書不多，無以證斯理之變；讀書多而不求於心，則又為偽儒矣。兩氏都是為了懲明人「束書不讀」之過，而主張多讀書，此亦是未可厚非之事。惟顧黃兩氏，皆以經世為懷抱。黃氏之明夷待訪錄，昌言政治；顧氏之日知錄，亦寓有政治之理想。尤以日知錄，因恐觸當時之嫉忌，乃故雜以餖飣考證之瑣節，以掩其政治之主張。其所謂考證者，有人謂其於殘碑斷碣中，令人發思古之幽情；或因此喚醒後人之民族觀念，以光復故物。吾人對於此說，固未敢信其為必然；不過顧氏曾謂：「有王者起，必來取法。」其蓄意實至為深微。所可惜者，清初學人，對於顧氏之政治思想，多未注意；對於考證一事，則因顧氏之高名碩學，偶事於前，而一般學者群起效之，遂如水之就下，沛然而莫之能禦。所謂「漢學」便於焉興起。誠所謂「有意栽花花不發，無心插柳柳成蔭」，此實是中國思想界之最大不幸。

再者，漢學之興起，亦大受閻若璩之影響。閻氏與顧氏齊名，其治學專以考證為業，不含政治思想。其所著古文尙書疏證，立論之縝密，佐證之確鑿，實為前所未有。其書一出，全國學者，無不為之震驚。自此以後，流風所及，萬千學子，群趨於考證之一途。此實亦與清帝之獎勵有關。按閻氏「晚年名益著，學者稱為潛邸先生。世宗在潛邸，手書延至京師，握手賜坐，呼先生而不名。索觀所著書，每進一篇，未嘗不稱善。疾亟，請移就外，留之，不可。乃以大牀爲輿，上施青紗帳，二十人舁之出，移居城外十五里，如臥牀簀，不覺其行也。卒年六十有九。時康熙四十三年六月八日。世宗遣官經紀其喪，親製輓詩四章，有三千里路爲余來之句，後爲文以祭之，有云：讀書等身，一字無假，孔思周情，旨深言大。若璩以諸生而受聖主特達之知，可謂得稽古之榮矣。」㉘在這樣的獎勵之下，考據之學，當然會大爲盛行。因爲：第一、不涉政治，可以免文字獄之禍害；第二、可以如顧氏之獲得高名，更可以如閻氏之深渥聖恩；第三、下焉者，亦可應博學鴻詞科而覓得一官半職，或甚至飛黃騰達。有此三大原因，所謂漢學者，當然便代替宋明理學而爲有清一代之學術主流。

二、漢學之興起與道統的式微

吾人已曾述及，魏晉玄學之所以興起，實由於兩漢經術思想的僵化，此亦足證漢學之非是。漢書藝文志有云：「後世經傳，既已乖離，博學者，又不思多聞闕疑之義，而務碎義逃難，便辭巧說，破壞形體，說五字之文，至於二三萬言，後進彌以馳逐，故幼童而守一藝，白首而後能言，安其所習，毀所不見，終以自蔽，此學之大患也。」依漢書此所說的，當可見漢學爲什麼會失去創造力而形成思想上的僵化。吾人認爲，大凡漢學家，必是「因陋就寡，分文析字，煩言碎辭，學者罷老，且不能究其一藝」，而又是「保殘守缺」，「深閉固拒」的「終以自蔽」。此可以劉歆與太常博士之書而證之。劉歆曰：「魯恭王壞孔子宅，欲以爲

㉘ 江藩漢學師承記卷八。

宮，而得古文於壞壁之中，逸禮有三十九篇，書十六篇，天漢之後，孔安國獻之，遭巫蠱倉卒之難，未及施行。及春秋左氏丘明所修，皆古文舊書，多者二十餘通，藏於秘府，伏而未發。孝成皇帝閔學殘文缺，稍離其真，乃陳發秘藏，校理舊文，得此三事，以考學官所傳，經或脫簡，傳或間編，傳問民間，則有魯國桓公，趙國貫公，膠東庸生之遺，學與此同。抑而未施，此乃有識者之所惜閔，士君子之所嗟痛也。往者綴學之士，不思廢絕之闕，因陋就寡，分文析字，煩言碎辭，學者罷老，且不能究其一藝，信口說而背傳記，是末師而非往古。至於國家將有大事，若立辟雍，封禪，巡狩之儀，則幽冥而莫知其原，猶欲保殘守缺，挾恐見破之私意，而無從善服義之公心；或懷妒嫉，不考情實，雷同相從，隨聲是非，抑此三學，以尚書爲不備，謂左氏爲不傳春秋，豈不哀哉。今聖上德通神明，繼統揚業，亦閔文學錯亂，學士若茲，雖昭其情，猶依違謙讓，樂與士君子同之，故下明詔，試左氏可立不？遣近臣奉指銜命，將以輔弱扶微，與二三君子比意同力，冀得廢遺。今則不然，深閉固距而不肯試，猥以不誦絕之，欲以杜塞餘道，絕滅微學，夫可與樂成，難與慮始，此乃眾庶之所爲耳，非所望於士君子也。」劉歆此說，非常重要，對於五經博士之流的毛病，亦說得非常透徹，由此亦足證漢書藝文志所說的實爲的論。漢學家因有此先天的痼疾，所以清代中葉之漢學，其病痛更是嚇人。第一、乾嘉時代，自漢學名稱成立後，一般讀書人，以附於此旗幟之下，博一漢學二字之頭銜，爲非常之榮幸，風氣成後，便形成除漢學外無學問之成見，且以此沾沾自喜，至於今日，仍有人假科學的方法而步漢學後塵者，亦可見漢學影響之深遠。第二、因爲有「除漢學外無學問之成見」，所以祇要是漢代之殘詞片語，皆視同瑰寶，而漢人以外之經說，皆視同糞土，此種祇問漢不漢，不論其義理之是非的惡習，當可以扼殺一切學術思想而造成學術思想的停滯或萎縮。此便是道統式微的真正原因。吾人認爲，漢學家精擘訓詁，將久晦之古音古義，復明於世，而於古代之名物制度，亦多所考正，使後之人，得由之以通二千年前難解之古書，其於經典小學所用之心力，固大有功於學術；然以爲學術便止於此，這當是欺人自欺。凡稍有學術良心者，當知這是一種病痛。卻因爲漢學家都各有師承，他們祇是向他們的老師學會了這點鑽牛角尖的本事，而「安其所習，毀所不見，終以自蔽」，他們又何能語聞君子之大道。照今文經學家的看法，宋明理學家所遵崇之十六字心傳，實是漢人所僞造。因此，今文經學家是反對講道統的。自閻若璩以來之漢學家，他們爲免文字獄而摒絕政治不談；爲反對宋明理學，亦不談義理心性，並及宋人之經說。他們所談的，全是東漢之名物訓詁；於是，許慎鄭玄，他們遂奉爲不祧之宗，推崇之者，幾並孔孟而過之。這種人當然不知什麼是道統；這種人所治之學盛行，道統當然便式微了。於是，我們當知，漢學的興起，實是道統式微的主要原因，也便是中國哲學之所以未能獲得正當的發展。

第四節 介石先生對道統的維護與發揚

介石先生對道統的維護與發揚，我們可從下列各點而說明之：

一、洞燭清代學術的流弊

介石先生對清代學術的流弊，是瞭解得非常清楚的。中國之命運第二章第一節有云：

在滿清這樣一面奴化，一面殘殺之下，中國固有的優良學風，乃為之大壞。當明代開國時期，所提倡的朱學，到他中葉，這一派的學術，發生了流弊。一般學界中人，應科舉者固然是尋章句，作八股；講義理者，亦不過造語錄，看話頭。王陽明倡知行合一的學說，要矯正這種弊病；到他晚年，更提倡致良知，使學者從煩瑣的文體與支離的思想解放出來。這一派的學說不久也流於空談無實。張江陵當政，又提倡實學實用的學說，兼救朱王兩派末流的弊端。到了明清之際，雖有王學的狂禪，東林的虛矯，然而科學的研究，如徐光啟、李之藻、梅文鼎、宋應星等於天文曆數，農政工藝，莫不事實求是，精益求精。顧（亭林）、黃（梨洲）、王（船山）、李（二曲）、顏（習齋）、傅（青主）諸大儒，更是性理與經濟兼通，思想與實行並重。民族主義與民權思想的推衍，尤招滿清之忌。幾回文字獄之後，經世之學遂衰，到了乾嘉年間，考據之學興起。考據之學，本由顧黃開其源，在顧黃本人，這種學問實在是經世之學的一個部門，離開了經世的大義，便失去了考據的價值。乾嘉的學者，捨棄他們實用的精神，專求學問於名物字句，其流弊所及，竟使學問既與人生脫節，亦與政治分離。一般學者於支離瑣屑的學風之中，復誤解中庸的道理，養成一種模稜兩可，似是而非的風氣，造成曾滌生（國藩）所謂不黑不白，不痛不養之世界。

我們可以這樣的說，我們中國的學術，若自明末以來，能任其自然發展，則在「性理與經濟兼通，思想與實行並重」的趨勢之下，必能有益於社會人群。卻因「招滿清之忌，幾回文字獄之後」，於是便「捨棄他們實用的精神，專求學問於名物字句」，而形成「支離瑣屑的學風」，並造成一「不黑不白，不痛不癢之世界」。吾人認爲，在滿清高壓政策之下，讀書人思想不能自由而祇好去鑽牛角尖，尙屬情有可原。時至今日，若仍然走乾嘉的老路，實是可恥的。可是流風所及，至今日而仍然有許多人喜歡以小題目大做其考據方面的文章，並以能運用科學的方法而沾沾自喜。對於歷代相傳之正統文化精神，很少能有人作認眞的體會。即如對「中庸的道理」，能不「誤解」者，可謂少之又少。因爲中庸的道理，不是專從文字方面便能索解，而是深造自得者。受乾嘉學風影響之人，卻祇會從字義方面下功夫，所謂「說五字之文，至於二三萬言」者，這當然難免不會「誤解」。胡適之就是走乾嘉的老路的。他對於中庸的道理便不懂得。他在逝世之前不久，還大罵中國文化沒有精神。他若眞的懂得中庸的道理，便決不會說出這種爲識者所不能同意的話。因爲漢學家不懂得中國的道統，所以他們不懂得中國文化的眞精神。文化精神的喪失，實就是民族精神的喪失，也就是國恥的由來。介石先生說：「國恥之所由招致，又必須追溯於滿清一代政治的敗壞，尤其是學術與社會的衰落」㉙。學術的衰落，當然就是國恥的由來。介石先生因有鑒及此，故對於道統的維護與發揚是不遺餘力。

㉙ 中國之命運。

二、三民主義的基本精神是中國歷史文化的正統

民國二十三年，介石先生在廬山軍官訓練團曾說：

三民主義從什麼地方產生出來的呢？固然是　總理所手創的。但是我們要知道，　總理決不是憑空創造出來的，這個三民主義是有所本的，其淵源所自，早在　總理以前，與我中華民族之歷史的生命同流發展，不過到了　總理手裡，重新整理，構成一部完善的思想體系，就叫三民主義。這個主義雖是最新的，而其本質和基本精神之所在，卻完全是由我們歷史文化的正統，歷數千年而一直傳下來的。這個意思，　總理在生時已經自己說明過的，我們只要將　總理對蘇俄代表馬林所講幾句話，復按一下，就可以明白，我們　總理的學問，　總理的思想，　總理的道德和　總理的革命主義，完全繼承中國五千年來歷史文化的正統。當時蘇俄代表問　總理：「你革命的哲學基礎的出發點，在什麼地方？你的革命主義由什麼地方發生出來的？」　總理當時告訴他：「我們中國有一個立國的精神，有一個自堯、舜、禹、湯、文、武、周公、孔子數千年來歷聖相傳的正統思想，這個就是我們中華民族的道統，我的革命思想，革命主義，就是從這個道統遺傳下來的。我現在就是要繼承我們中華民族的道統，就是要繼續發揚我們中華民族歷代祖宗遺傳下來的正統精神。」大家由　總理這一段話，就可以明白我們　總理的三民主義的基本精神，就是中國固有歷史文化的結晶，和民族美德的遺傳，亦即是民族的精神，和國家的靈魂之所在。現在我們革命，就是要復興

我們中國的歷史文化，恢復民族固有的美德，發揚我們中華民族的靈魂！我們要救國，要實現主義，就是要恢復這個國魂！具體的講，就是要繼續發揚我們中國固有的道統。[30]

吾人仍須陳述者：第一、中山先生在民族主義中，諄諄告誡我們應恢復民族精神；在「軍人精神教育」一中，完全是講智仁勇之三達德。他對於大學的政治哲學及大同的政治理想，是平時所最稱道篤信的。他自已說：「余之謀中國革命，其所持主義，有因襲吾國固有思想者」。而且，在其他的著述與談話中，更明言道統，由此已足證三民主義確是承繼了我國的歷史文化或道統而加以發揚光大。誰都會說：「中國的共產主義是移植來的。」但是，卻沒有人說三民主義是舶來品。三民主義的基本精神，是代表了中國歷史文化的正統，這是無可置疑的。第二、因為三民主義是代表了我國歷史文化的正統；那麼，宏揚主義，也就是發揚道統。不過，三民主義常會被曲解或誤解。所以必須對於道統有正確之理解，才真會對主義有正確之理解。照這樣說來，介石先生認定三民主義的基本精神是中國歷史文化的正統，實是對道統與主義之融會貫通，也當然是在於維護正統與發揚道統。

三、介石先生所講的正統是否即宋儒所講的道統

---

[30] 國防研究院發行之「蔣總統集」七七五頁「中國魂」。

關於這一問題，也可以說是本書所欲解答的最主要問題。我們對這一問題的解答當然是肯定的。除了在以下各章我們將從各種角度而解答這一問題外，現在僅就介石先生在「孫子兵法與古代作戰原則以及今日戰爭藝術化的意義之闡明」講詞中所說的，而證明他所講的正統確是宋儒所講的道統。介石先生說：

> 我認為是我們革命軍人作存養省察工夫的要道，那就是大禹謨裡面所說的「人心惟危，道心惟微，惟精惟一，允執厥中」這四句話，是我們中國歷代聖賢相傳的心法，自來認為是高深而難解的哲理，所以我總不敢輕率的提示大家，但我個人四十年來，可以說都是以此四語為朝夕修養的箴言，不敢一日或忘。

介石先生「四十年來」，「不敢一日或忘」的「歷代聖賢相傳的心法」，也正是宋儒所講的心法；由此已足證他所講的正統或道統實就是宋儒所講的道統。

四、介石先生對道統的維護與發揚

首先要說明的，即是介石先生爲什麼要維護道統而加以發揚呢？他在「自述研究革命哲學經過的階段」及「革命哲學的重要」，「中國的立國精神」等講詞中已說得非常清楚，此即是要恢復我們的民族精神。因爲「民族精神喪失了，國家就有若無，存若亡！如果有了這民族精神，即使國家滅亡，也可復興起來！」㉛又說：「武士道乃是儒教中殘餘的東西，片斷的被日本截取了去，做他們霸道立國的民族精神！儒道本來是整個的我們中國王道的民族精神，而我們自己有民族整個精神所在的地方，我們自己卻毫不注意。」（註同上）因其如此，所以對「民族整個精神所在的地方」須加以維護與發揚，而道統則正是民族整個精神之所在。

民國十三年三月十四日介石先生「復廖仲愷書」有云：「因入共產黨問題，而弟以須請命　孫先生一語，即以弟爲個人忠臣相譏刺。弟自知個性如此，殊不能免他人之笑。然而忠臣報君，不失其報國愛民之心，至於滿奸洋奴，則賣國害民而已也。吾願負忠臣卑鄙之名，而不願帶洋奴光榮之銜，竊願與兄共勉之。」㉜又說：「至兄言中國代表，總是倒霉，以張某作比者，乃離事實太遠，未免擬於不倫。其故在於中國人只崇拜外人，而抹煞本國人之人格。如中國共產黨員之在俄者，但罵他人爲美奴英奴與日奴，而不自知本身已完全成爲一俄奴矣。吾兄如仍以弟言爲不足信，而毫不省察，則將來恐亦不免墮落耳。」（註同上）吾人讀此，當知他爲什麼反共，爲什麼「吾願負忠臣卑鄙之名」，這正是儒家精神之所在；亦就是「自反而縮」者。他復廖仲愷書又說：「而弟則但期致我良知而已。」（同上）此種忠愛領袖國家之精神與民族之正氣，實就是真的致得良知了。

介石先生除了在行的方面以維護與發揚道統外，在專著與講詞中，更是以道統爲中心而

㉛ 同上五八九頁「中國的立國精神」。

㉜ 「復廖仲愷書」。

融會貫通的以宏揚主義。他說：「 中正並認爲孔子格物致知誠意正心修身齊家治國天平下的政治哲學思想，實以科學的精神來建立其哲學的基礎，復以科學的方法來建立其倫理思想和道德觀念。此種以倫理、民主、科學爲哲學的思想，就是我們今日三民主義思想教育的基礎。」㉝吾人須認識清楚的，所謂「以倫理、民主、科學爲哲學的思想」，這即是說，此種哲學思想，是融會貫通倫理民主科學的思想而形成的。宋明理學言心言性，從其是澈上的來說，此自然是有其形而上的一套體系；若從其是澈下的來說，其成就多是倫理方面的。固然，從理學本身，是可以開出科學思想；從其所成就的，是可以開出民主思想。然而在事實上，民主與科學並未能以理學爲基礎而獲得良好發展。介石先生主張「以倫理、民主、科學爲哲學的思想」，這實是爲理學的發展指出了一個非常正確而必有成就的方向。

介石先生又說：「三民主義則是以倫理、民主、科學爲內涵的。」㉞又說：「我所以要提出倫理民主科學的口號，乃是要大家徹底了解，要建設民主主義，必要用科學來實踐的；要實現民權主義，必要用民主來實踐的；尤其是我們如要實行民族主義，必須要實踐我們固有的倫理道德，方能期其有成。」㉟照這樣說來，三民主義乃是對於道統的篤行實踐並融會貫通民主與科學的精神所產生的一種結果。也就是說：三民主義乃對於理學之發揚所必有的

㉝ 四十九年「孔孟學會成立大會致詞」。

㉞ 「建立三民主義的中心思想」講詞。

㉟ 「三民主義的本質」講詞。

一種成就。於是，吾人應是進一步的認識了三民主義確是以道統爲基礎的。本書之作，即是對於諸如此類的問題，作有系統的敘述，俾藉以說明介石先生思想與宋明理學之關係。

第二章　內聖的哲學思想

第一節　概說

我們認為，理學是宏揚道統的中國哲學。也可以說，理學或道統，皆是中國哲學的同義語。再者，在上一章中，我們也已指出，介石先生之所以要維護道統而加以發揚，因為道統正是民族整個精神之所在。這就是說，他為了復興中華民族，為了抵抗日本的侵略，乃對於「民族整個精神所在的地方」加以維護與發揚，俾藉以復興「中國的立國精神」。這就是介石先生講哲學的動機。九一八事變後，他對哲學之提倡，其目的即在於喚醒國魂，而以之對抗日本的武士道。

吾人當已明白，介石先生所講的哲學，實際上是一種愛國的哲學。凡愛國的哲學，必是以宏揚立國的精神與立國的主義為目的。也可以說：愛國的哲學，必是由其立國的精神與主義所孕育而成的。這是介石先生哲學的最基本的特色。因其如此，所以：第一、他認定哲學是復興民族與國家的基礎。他說：「近世以來，我們中國的哲學之所以不能發達進步，因而影響到國家民族不能獲得永久的獨立自由，這是一個主要的原因。」❶又說：「我們現在要求國家獨立與民族復興，必要使哲學先能復興和獨立起來。否則，無論你國家怎樣強大，都要歸於失敗。」（註同上）又說：「無論那一個國家，那一個民族，處在內外情勢壓迫之下，要想復興起來，必須先有哲學作基礎，必須他的哲學先要能夠獨立發揚起來。如此，即令他們的軍事與經濟的力量稍微貧弱一點，亦必可以逐漸強盛復興。」（同上）第二、他認定哲學是立身做人的根本。他說：「哲學是我們人人必有的基本知識，不懂哲學的人，一定不懂人是什麼東西，亦不懂人生的目的和做人的道理，根本就不知道做人；既不知道做人，無論是怎樣博的博士，有怎樣大的學問，也不能致用。」❷又說：「有哲學基礎的人，就一定有肯定的思想，亦就是一定有中心信仰的人。有了中心思想和信仰，對於一種主義至死不二，這樣纔可以算是革命的信徒。」❸這就是說，哲學因是做人立身的根本，所以也是成功立業的根本。第三、他認定哲學乃窮理明德的學問。他說：「關於哲學的定義，自來就有各種不同的解釋，但我認爲哲學這是如前所講的『窮理、修身、正德』之學。簡言之就是窮理明德的學問，其效則見之於誠意正心修齊治平之中。而研究哲學亦就是爲著要做誠正修齊治平之事。現在我還要補充一句說，窮理的目的在於致知，明德的工夫在於修身。修身的效驗，就在於

❶ 見「哲學與教育對青年的關係」講詞。
❷ 見「青年為學與立業之道」講詞。
❸ 見「革命哲學的重要」講詞。

知與行之中，方可驗得的。」❹又說：「窮理是窮天人之理，要使內心澈底明白這個道理，毫無東西可以掩蔽他障礙他，與欺瞞他，就是要使他內心澄澈明晰，毫無疑難掛碍，或恐怖欺僞的東西夾雜在內面。」（註同上）這就是說，哲學是一種能真的認識自己的學問。通常一般人對於自己的認識，可以說是「以俗觀之」的。莊子秋水篇說：「以俗觀之，貴賤不在己」。以俗觀之，是不能真的認識自己。不能真的認識自己，決不能「做誠正修齊治平之事」。哲學之所以是立身做人的根本，甚至是復興民族與國家的基礎，因爲哲學是可以真的認識自己。所謂真的認識自己，這就是能真的認識人之價值。第四、他認定哲學是一切學問之基本。他說：「凡是擔任哲學文學或倫理公民的教員，或是從事於師範教育的，固然對哲學一科，要有一個概要的研究與深切的認識，而得到精實的涵義。就是教授理科和實科的教員，不論是教授生物也好，是教授物理化學也好，是教授機械工程也好，都要懂得中國哲學的門徑，具備學問的基礎，然後你的教學，纔有效力。」❺又說：「現在一般教師對於哲學與修身，已多能逐漸注重，且能實踐自修，然而其能有真知獨到的哲學修養，能視哲學爲一切學問之本，而知道哲學之重要如同人生一日不可須與離開的空氣一樣的人，還是很少。」（註同上）照這樣說來，哲學不僅是一切學問之本，而且是和空氣一樣的不可須與離開。

就以上四點所說者看來，則知介石先生所謂之哲學，實即儒家所說的內聖外王之道。就

---

❹ 見「革命教育的基礎」講詞。

❺ 同註一。

知識的觀點來說，這種哲學「是窮天人之理」，是一切學問的基本，這與西洋的知識哲學是相通的學問。就修養的觀點來說，這種哲學是要使「內心澄澈明晰，毫無疑難掛碍」，這就是儒家「在明明德」的「大學之道」，亦與佛家的「無明執著，自然消落」之說相通。再就外王的觀點來說，這種哲學在國家危難時，是一種救國的愛國哲學；但當國家強盛時，則便是一種扶弱抑強的救世哲學，與侵略的帝國主義是不能相容的。吾人能理解至此，才真能理解介石哲學的基本精神，以下各節，將從哲學的本體論，認識論，方法論，以說明介石哲學思想與宋明理學之關係。

第二節　介石哲學的本體論與宋明理學

一、何謂本體論

哲學的本體論，乃形而上學研究之對象。所謂形而上學在西方哲學體系中是稱之為次於物理學的第一哲學；在我們中國哲學中，是指對於形而上之道體的研究。因此哲學的本體論，應是指對於事物之本質、現象之本體，宇宙之根源等實在問題之研究而言。然則什麼是本質本體，或根源呢？唯物論者，當然認為物質是根源的；唯心論者，則認定心靈是實在的。唯心論思想之出現，在西方哲學史上較遲於唯物論。此當然亦可以說，唯心論實是較唯物論為進步的一種哲學。通常一般人認為物質是實在的。因為凡奔赴吾之眼中者，無一不是堅實之物體；若有人否定外物之存在，必認為非愚即妄。唯物論之所以易於獲得一般人相信，粗淺的說來，即是一般人都肯定物質之存在。牛頓物理學之「物質不滅」說，很能助長唯物論之聲勢，此亦可能是近代唯物論興盛的原因。不過，近代唯物論則是以「存在決定思維」這一理論爲中心而建立其哲學體系的。在近代唯物論者看來，形上學是不能成立的。但從另一方面來說，唯物論卻是較爲淺薄的。因爲「存在決定思維」之說，是屬於感官知識的範圍。凡屬於感官的知識，皆祇是習以爲常而已。若能作進一步考察，則知此種習以爲常的見聞之知，不是一種真知。例如人所習見之青山綠水，實祇是一種顏色型而已。若究其實而言之，祇是一系列一系列的陰電子繞陽電子的運動。唯物論者既以屬於感官知識範圍的爲其哲學的基礎，這當然是較爲淺薄的。因其如此，唯物論的認物質是根源之說，當然不是一種真理。但是這亦不是說，唯心論便是正確的；因爲究其實而言，亦沒有單獨存在之心靈。心靈與物質皆祇是現象而不是本質或本體。什麼是本體，這是哲學的本體論所須探究的。

二、宋明理學之本體論

宋明理學所謂之本體，乃是指性之本原與道之體統而言。「論性之本原，道之體統，蓋學問之綱領也。」❻因其是論性之本原，道之體統，所以凡言心言性及理氣太極與形上之道等，皆是宋明理學所講之本體的內容。在上一章中，吾人所講之宋明理學的基本概念，實就是宋明理學的本體哲學。在這裡仍須作進一步陳述者，即宋明理學所講之本體究竟是什麼。

❻ 近思錄卷一。

宋明理學的本體論。大抵以濂溪先生的太極圖說爲主。此即是「五行一陰陽也，陰陽一太極也，太極本無極也」；亦即是「是萬爲一，一實萬分」。這就是說，此陰陽五行是用，此太極是體；此萬是用，此一是體。用西方哲學的術語來說，此現象是用，此本質是體。因爲五行一陰陽也，陰陽一太極也；因爲是萬爲一，一實萬分，所以體用不二。這就是說，離了五行便沒有陰陽，離了陰陽便沒有太極。但五行與陰陽畢竟是不一的，所以體用雖不異，卻亦不一。體是指形上之道言，用便是形下之器。道與器當然是不一的。此不一不異之說，固是說明了體與用之關係，卻亦是說明了體是什麼？因爲照太極圖說所說，此含有陰陽五行之太極便是本體。（此與易繫辭「是故易有太極是生兩儀」這一段是大體相同的；所謂大體相同，即是不完全相同；因為濂溪先生實含有道家思想。）本體既就是含有陰陽五行之太極，則本體是無所不包的。此無所不包之本體，究其實而言，亦祇是一陰一陽而已。然則陰陽究竟是什麼呢？照馮友蘭的說法，陰陽「完全是兩個邏輯底觀念。所以說此觀念是邏輯底者，因此觀念並不確指任何實際底事物而卻可指任何實際底事物。」❼馮氏此說，從表面看來是非常新穎而恰當。實際上，此祇是一似是而實非之說法。此是以西洋哲學而解釋中國哲學者，無當於中國哲學之真義。中國哲學所謂之陰陽，其原義是以之講本體哲學者。中國哲學所謂之本體，照朱子的說法，原「只是個極好至善的道理」（請覆按第一章第一節）。惟本體非是掛空的，而事實上必是一動一靜的。因其是一動一靜的，於是便「分陰分陽，兩儀立焉」。熊十力喜歡以闔闢或以

❼ 馮友蘭著新理學第二章。

收斂與發揚而解釋陰陽❽，庶乎得之。朱子曰：「陰陽雖是兩箇字，然卻只是一氣之消息，一進一退，一消一長。進處便是陽，退處便是陰；長處便是陽，消處便是陰。只是這一氣之消長，做出古今天地間無限事來。所以陰陽做一箇說亦得，做兩箇說亦得。」❾照這樣說來，所謂陰陽，實是本體因一動一靜而形成了兩個相反相成的勢力。此勢力本是一，卻是一動一靜的，亦是「動而無動，靜而無靜」的。因其是動而無動，所以是動中有靜；因其是靜而無靜，所以是靜中有動。動靜是理，陰陽是氣。何謂陰陽，如此應可以思過半矣。此是講太極如何生兩儀者，亦就是講本體如何是具有如此之內容者。伊川曰：「沖漠無朕，萬象森然已具，未應不是先，已應不是後，如百尺之木，自根本至枝葉，皆是一貫。」❿觀伊川此說，已應知宋儒所謂之本體究竟是什麼了。

吾人仍須作進一步陳述者，即宋明理學對於心物問題究作如何解釋。薛敬軒曰：「誠者聖人之本，誠爲太極。太極之有動靜，是天命之流行也，天命爲太極。天下無性外之物，而性無不在，性爲太極。一陰一陽之謂道，道爲太極。聖人定之以中正仁義，而主靜立人極焉，仁義中正即太極。以主宰而言謂之帝，帝即太極；以妙用而言謂之神，神即太極；以理而言謂之天，天即太極。德無常師，主善爲師；善無常主，協於克一，一爲太極。喜怒哀樂未發

❽ 熊十力著新唯識論。
❾ 續近思錄第一卷。
❿ 程氏遺書卷十五。

謂之中，中爲太極。心統性情，心爲太極。惟皇上帝，降衷於下民，衷爲太極。繼之者善也，善爲太極。太極者，至大至極至精至妙，無以加尙，萬理之總名也。」⑪照薛氏此說，他似認爲心即本體。若以爲薛氏此說便是唯心論，這亦是不懂得中國哲學。中國哲學認爲此本體雖只是個至好極善的道理；然而卻是動而無動，靜而無靜。因其如此，所以陰中有陽，陽中有陰。此可以氫原子爲例而說明之。照現代物理學的說法，所謂氫原子，乃一個陰電子而繞一個核子之運動。若用宋明理學的說法，則此所謂氫原子者，乃一種收斂的勢力與一種發揚的勢力之合一而形成了一如此之事故。此種說法與現代物理學的說法是相容的。此種說法仍須補充的，即此種勢力是一；不過此所謂一，乃由發揚與收斂兩種現象形成的。而且，此發揚的勢力是因收斂的勢力而存在；此收斂的勢力是因發揚的勢力而存在。有之兩者皆有，無之兩者皆無。這是陰中有陽，陽中有陰的最確切的說明。照這種說法，是否定有單獨存在之心與單獨存在之物，亦就是否定唯心或唯物的。

有問難者曰：心物與陰陽何能混爲一談呢？對於此問是不難作答的。第一、我們可問什麼是心？若說心是能知；則又可問此能知者是抽象的還是具體的？若說是具體的，則心亦是通常所謂之物；若說是抽象的，則便掛空的。宋明理學所謂之理皆不是掛空的。程子認爲「天下無實於理者」；所以理學家認爲理不是抽象的。第二、我們又可問物是什麼？若說物是所知，則又可問：我知張三，我是能知，張三是所知；若張三知我，則張三是能知，我是所知。

⑪ 廣近思錄卷一。

我們依什麼而分能所呢？而且，所謂「我知」，亦是能所不分的。此即，「我」是所，「知」是能。因此，我們的不能說物是所知。若說物是無知，此亦是大有問題的。從人來說，人是有知的；從物來說，物是否有知，固未便斷定。不過，物之所以爲物，必有其所以爲物之理；此與人之所以爲人，必有其所以爲人之理是一樣的。理在人或物，皆名之曰性。性是心之未發。即令石頭土塊是無知覺的，亦祇能說是石頭土塊未發而已，不能說石頭土塊是無性。照這樣說來，心之必是物，物之必有性，與陰中有陽，陽中有陰，其理實完全相同。於是，我們當知宋明理學家所謂之心或「靈處」，皆是能所合一的。能明乎此，我們當已知宋明理學家所謂之心物是什麼了。

吾人仍須作進一步陳述者，即中庸曰：「喜怒哀樂之未發，謂之中；發而皆中節，謂之和。中也者，天下之大本也；和也者，天下之達道也。致中和，天地位焉，萬物育焉。」宋明理學的本體論，皆是以此爲依據的。此即是說，此心之未發便是本體。宋明理學之所以注重靜或敬，即在於識得未發時之氣象。此未發時之氣象，是名之曰中；中是「天下之大本」。用我們的術語來說，中便是本體。中何以是本體？因爲中是心之本體。通常所謂之心，亦可以說是屬於意識界的心，或多或少的必受環境的影響，所謂「存在決定思維」，即是指屬於意識界之心而說的。至於此心之本體，則是喜怒哀樂之未發。也可以說，既無任何情緒，亦無任何慾望。這可以說就是絕對的理性，它當然不受環境的影響。然則此不受環境影響之心的本體，何以就是本體？因爲此種未發時之心，既純然是理，當然就是性之本原，道之體統，亦當然就是太極或本體。此所以中國哲學是必須自得之。若果是深造而自得，則知此種哲學，既不是唯心的，亦不是唯物的。

三、介石哲學的本體論

介石先生曾說：「民生哲學，最主要之點，是絕不同意古今哲學家把精神與物質劃分為二，致使二者間的關係發生聚訟不決的難題。反之民生哲學，承認精神與物質均為本體中的一部份，既不是對立的，也不是分離的。物質不能脫離精神而存在，精神也不能脫離物質而存在。宇宙的本體，應是心物合一的。宇宙與人生都必須從心物合一論上，纔能得到正確的理解。」⑫這是介石先生對宇宙本體與人生所作的正確理解。這所理解的是與宋明理學的觀點一致的。也可以說，這所理解的，是對於宋明理學之融會貫通而所得的一個結論。在宋明理學中，當然是找不出像他所說這樣清晰而明確的見解；因為宋明理學家很少對心物二者間的關係發生過疑問，他們認為心物是必然合一的。他們有意考慮的，祇是理與氣的關係。他們認為理氣是合一的。但是，若以為理是心，氣是物，則仍是不懂得宋明理學。宋明理學是認定氣之靈處是心，理之動靜成物。因此，氣亦是心，理亦是物。有人認為陽是心陰是物；實際上，陽亦是物，陰亦是心。這就是說，理或氣陰或陽，必皆是心物合一的。胡敬齋曰：「一物之中，便有兩儀，陽中有陰陽，陰中亦有陰陽。如天本屬陽，又曰，立天之道，曰陰與陽；地本屬陰，又曰立地之道，曰柔與剛。豈不是一各含兩之義，故邵子加一倍法，是易

⑫ 反共抗俄基本論第五章第二節。

之本。」⑬從前，吾人並不識得邵子「加一倍法」之真義。自讀胡氏此說後，方知邵子之學，既是非常正確的說明了陰陽這兩個概念的涵義，也是非常正確的說明了心與物之合一。於是，我們應已非常明白馮友蘭從西方邏輯的觀點而解釋陰陽，確是無當於周易的真義。

我們已知道介石哲學的本體論是心物合一論。所謂心物合一論即是承認精神與物質均爲本體中的一部份，既不是對立的，也不是分離的。物質不能脫離精神而存在，精神也不能脫離物質而存在。這對於心物何以是合一的，及對於心物是如何合一的，確已說得非常明白。但是，若對於宋明理學缺乏真正的理解，則仍然會弄不清楚「心物是如何合一的」。例如有人認爲心物合一，是物體心用論的合一。所謂物體心用論的合一，其意義是說，心物的合一，乃採物爲體，心爲用之方式的合一，這是十足的唯物論。唯物論者，他們永遠不會理解「精神與物質均爲本體中的一部份」確是至當不移的。朱子曾說：「體用也定見在底便是體，後來生底便是用。此身是體，動作處便是用。天是體，萬物資始處便是用。地是體，萬物資生處便是用。就陽言則陽是體，陰是用；就陰言則陰是體，陽是用。」⑭物體心用之說，若依朱子此種觀點來說，原是可以如此說的；若以之講哲學的本體論則便是大錯。稍爲受過現代邏輯訓練的人，便會知道語言層次的問題。物體心用之說，是從現象界這一層次來說的，當然不能施之於本體界。觀朱子對於體用兩概念所作之界說，亦知以物體心用論而說心物合一

⑬ 廣近思錄第一卷。

⑭ 續近思錄卷一。

之非是。主張物體心用論者，他們不僅不懂得宋明理學；對於現代哲學亦屬是門外漢。

照以上所述，吾人已知介石先生的本體哲學，是認定本體乃心物合一的。哲學的本體論，既是形而上學研究之對象，則知心物合一論的本體哲學，亦必是屬於形上學的範圍。這也是研究介石哲學最須注意之點。否則，必永遠無法正確的理解什麼是心物合一論的哲學。

四、介石先生對本體哲學之深造自得

任何一種哲學思想之形成，應是深造自得以後之事。孟子曰：「君子深造之以道，欲其自得之也；自得之，則居之安；居之安則資之深；資之深，則取之左右逢其源，故君子欲其自得之也。」⑮凡深造自得者必能左右逢源。用禪宗的觀點來說，即能橫說豎說皆是。這就是說真能深造自得，即真有真知灼見；「學語之流」，則祇會襲取他人的議論，其結果必是不知所云，而祇會人云亦云而已。至於介石先生對中國哲學之深造自得者究竟是什麼呢？這是吾人應作深入研究的。

介石先生說：「大學以格致誠正爲本，而中庸一書，亦以慎獨存誠的誠字爲體。所謂自誠明謂之性，自明誠謂之教，這就可以看出中庸是本體論，而大學則是方法論，乃是我們中華民族四千年來古聖昔賢相傳習的道統，當然唯物論者，就要指其爲心論，或者斥之爲封建

⑮ 孟子離婁下。

時代的產物，而加以極力排除，甚之非使之澈底毀滅不可了。」⑯依這一段講詞所示：第一、心物合一論的本體哲學，確是淵源於中庸，亦就是淵源於「古聖昔賢相傳習的道統」；第二、唯物論者，是要指定道統爲唯心論。即如前面已論及的物體心用論者，他們即認定，若心物合一論而不依他們的解釋，則便是唯心論⑰。爲什麼淵源於我國道統的心物合一論的哲學，會被唯物論者認定爲唯心論呢？第一、唯物論者，他們永遠不會懂得心物二者本合爲一的這一真理；第二、以道統爲淵源的心物合一論的哲學是必須自得之。凡必須自得之者，唯物論者即認爲是唯心的。然則介石先生所自得者究竟是什麼呢？「看出中庸是本體論」這就是深造自得。此何以故？因爲中庸之所以是本體論，即在於中是本體。中何以是本體？我們已陳述過，因爲中是心之本體。識得中是心之本體，這當然祇有自得之。介石先生說：「現在首先要說明中是什麼？和是什麼？照原文所說，中是『喜怒哀之未發』時的現象，亦就是我所常說的『無聲無臭，惟虛惟微，至善至中，寓理帥氣』的現象；和是喜怒哀樂發現時，一切言行，皆能『中節』而並無過與不及之處。這樣的中就是天下之大本，這樣的和就是天下之達道。所謂大本，就是天命之性，天下之理皆由此出，故曰大本。所謂達道，就是率性之道，天下古今之所共由，故曰達道。於此我對於中與和的本義，還要補充說明一下，依照朱子所說，這中和的性質，就是中庸的釋義，『其所以變和言庸者——游氏曰以性情言之則曰中和，

⑯「中庸要旨」第四次訂正本。

⑰見拙著心物合一導論，學宗第六卷第三期。

以德行言，則曰中庸，故中庸之中，實兼中和之義』。我以爲這中和之中，只是形容其心理現象，而與中庸之中的性質及其範圍是不盡相同的。因爲這未發之中的中字，乃是心未發動時之本體，澹泊沖漠，本然自得，一切無所沾染無所執著的現象。此乃專對內心和精神而言。我們祇有在內心存著天理本然之善，而無外誘之私，更不爲威武所屈，私慾所蔽，既不偏於悲觀而失望，也不偏於樂觀而放佚，止定靜安，泰然自得，這就是未發之中，乃是存養省察的『存』的工夫所由致之，亦就是修身立業之大本，此即所謂中也者，天下之大本也。這亦就是朱子所謂『自戒懼而約之，以至於至靜之中，無稍偏依，而其守不失，則極其中而天地位』的境域，這實是闡明『允執厥中』的精義。但他與中庸之中的性質，並不是完全相同的。中庸之中，所謂『中者天下之正道』也者，這正道之中的範圍，乃是以天地萬物爲一體，無分內外，亦不論心物，皆包涵於此道之中。所以這兩個中字，即中者天下之正道，與喜怒哀樂未發之中，其含義雖有相同之處，而其範圍，則後者（未發之中的中字）乃包涵於前者（中者天下之正道）之中，故其性質，亦不盡相同了。所以他說：『中庸之中，實兼中和之義則可』但中和之義，並不能代表中庸二字整個的涵義。至於和的意義，乃是心理現象，已經發動時，其一言一行皆能中乎節度，就是喜怒哀樂都不過分，都能恰當，應喜則喜，應怒則怒，當哀則哀，當樂則樂。這中節之和的現象，乃是存養省察的『養』的工夫所由致之，亦就是處世接物的圭臬，此即所謂和也者，天下之達道也。」以上所引述者，係根據「中庸要旨」，民國五十二年八月第四次訂正本。中庸要旨乃二十五年三月在陸大將官班所講。對於中字之詮釋，其原文爲：「中就是心未動時之本體，一切無所偏倚的。譬如我們在心境光明潔淨的時候，物欲無蔽，就可達到大公無私，萬物皆備於我的地位，這樣無論喜怒哀樂無所容懷，既無歡樂，也無悲哀，既無惱怒，也無所謂欣喜，而心體靈明，本來自在，這就是中的現象，在這個時候，我們祇有存著天理本然之善，而無外誘之私，既不偏於悲觀而失望，也不偏於樂觀而放佚，這就是不易之中，就是天下之大本。」我們茲可比較第四次訂正本與二十五年時之原文，而看出介石先生在深造自得方面之進境。在這裡有幾點須加以陳述者：第一、中庸要旨所講的，不全是「知解」方面的，而多係從「工夫」方面講的；所以這篇講詞，不是在講純粹的理論，而是在講修養的經驗。第二、陳白沙曾說：「所謂未得，謂吾此心與此理，未有湊泊脗合處也。」⓲介石先生在中庸要旨中所講的，必是心與理湊泊脗合後才能講得出。第三、照二十五年時之原文看來，所謂「在心境光明的時候」，「無論喜怒哀樂，無所容懷，既無歡樂，也無悲哀，既無惱怒，也無所謂欣喜，而心體靈明，本來自在，這就是中的現象。」這種現象，完全是由修養工夫得來的。這就是自得，就是心與理之融合，就是心之本體。又照第四次訂正本所說：「澹泊沖漠，本然自得，一切無所沾染無所執著的現象」，這是修養工夫的較前爲純熟。這種工夫上的話，不是隨便可以講出來的。第四、介石先生所講的「窮理於事物始生」之處，這是從知識方面說的；「研幾於心意初動之時」，這便是從工夫方面說的。至於其所作「自勉四箴」，更完全是從工夫方面說的。例如養天自樂箴說：「澹泊沖漠，本然自得，浩浩淵淵，鳶飛魚躍，優游涵泳，活活潑潑，勿忘勿助，時時體察。」這就

⓲ 明儒學案白沙學案。

是要能明得此心之本體而時時養之。此箴前六句都是在描述心之本體是什麼?亦都是在描述此未發之中是什麼。他對於中庸所謂「天下之大本」確是能自得之。又例如畏天自修箴所說的「不睹不聞」「莫見莫顯」;法天自強箴所說的「無聲無臭」「主宰虛靈」;事天自安箴所說的「物我一體」「於穆不已」等等,皆是在描述心之本體是什麼。幾年前,曾抄錄此四箴以就教於學禪極有成就的一位老居士。我問他:「依此四箴看來,功夫熟了沒有?」這位老居士說:「此乃有道之言。」我告訴他這是 蔣總統所作。他說:「早年看他所作『研幾於心意初動之時』,便疑他當已證得,今就此四箴看來,果然。」我之說此,並非說介石先生是禪。這就是說,宋明理學之向上一路的工夫,是多少與禪相似。在上一章中,我們討論理學與佛學的同異時,曾說「儒釋道三家所謂之本體,若祇就未發而言,並無根本上的不同」;於此,應更無疑義了。第五、照以上所述,吾人應已明白的認識了:介石先生的心物合一論的哲學,確是融會貫通了宋明理學而所得的一個結論。因爲他對於本體哲學確能深造自得;而且,他所得者,是與宋明理學家所得者大體上相同。介石先生確是「上承洙泗」而果有所得的。這是就介石哲學的本體論與宋明理學的關係,作了較爲簡要的說明。

第三節 介石哲學的方法論與宋明理學

一、何謂方法論

哲學的方法論,亦可說是討論研究哲學的方法。有人將研究哲學的方法,分爲一般的研究法與特殊的研究法。所謂一般的研究法，即各科學共通之研究法。贊成科學的哲學者，認爲哲學不必另設特殊的研究方法；因爲哲學既爲說明一切科學的根本原理，則與一切科學同其範圍，其研究方法亦相同。此說之不妥當，是很顯然的。因爲科學方法，無論如何周密，終不能發見絕對的根本原理。科學原理，多爲一時的假設，而非終極的；而哲學之根本原理，則要求最後之確定；故哲學於一般的科學研究方法外，必須另有特殊的研究方法。德國哲學家耶谷比（F.H. Jacobi），通常稱他爲「信仰哲學家」。他認爲理知的本性祇能對付有限的與部份的事物，聯合成一系統，不能直接探索真理的原料，尤其不能知道事物全體的真理。他認爲要得到形上的真理，不能靠觀念的「間接得來」的知識，而要靠直接知覺的。此直接的知識，他名之爲信仰。此所謂信仰，即可名之爲直覺。直覺是特殊的哲學研究法。有人將類似反射的動作及敷淺的不用思考的行爲名之爲直覺。此種動作或行爲，其本質皆祇是習慣，佛家則名之爲習心或習性。這當然不是哲學上所謂之直覺。哲學上所謂之直覺，決不是與理性相反，然或爲理性所不及。霍金（Hoking）教授曾說：「如不信任理性可以引到直覺主義，然過信理性亦可以引到直覺主義，這是一種反響。」⑲又說：「存疑論、實驗主義與直覺主義在這一點上是大家同意的：即三派都不相信理知能取得形上的真理。存疑論者在此種情境之下，以爲可以不必要形上學的信仰。實驗主義者知道非有相當的信仰不行，於是就其價值加

⑲ 霍金著「哲學的派別」第十二章，瞿菊農譯為「哲學大綱」，獨立出版社印行第九〇頁。

以選擇。直覺主義者則以爲除理知之外還有取得知識的途徑。」⓴說直覺是理知之外取得知識的途徑，大體上是不錯的。不過，直覺之所以能取得理知之外的知識；因爲理知既祇能對付有限的與部份的事物，所以理知的知識常彼此矛盾而不能融會貫通，直覺則可以融會貫通一切知識而使此心與此理能湊泊脗合。何謂直覺？於此應可以思過半矣。霍金教授又說：「形上學用直覺早於用理知。」（同上）又說：「直覺既爲形上學最古的來源，則哲學漸漸走入理知與理性的路上之後，如果對於理性有不滿時，一定很自然的要回到直覺。我們從前說在懷疑的時代，很會引起一種實驗主義，然而更容易引起直覺主義。一位哲學家，在理知上努力前進，而最後常以直覺爲探索真理的依據。這是哲學史上常有的事。柏拉圖即以辯證法爲逐漸從理性上研究最後引導心靈對於實在直接有所見到。」（註同上）照這樣說來，直覺是濟理知與理性之窮而所得的一條活路，也就是朱子所說：「至於用力之久，而一旦豁然貫通焉。」至於用力之久，如何能一旦豁然貫通，則就需要反省。有人認爲反省法（Reflective method），亦是哲學的特殊研究法之一。實際上，直覺是依賴澈底的反省而後能有所見。反省是從懷疑到獲得真理的整個過程，是深入於思想的最主要的途徑。思想愈深入，才愈能獲得思想的真正面目。真正的思想，應完全超越於心理學所謂之刺激與反應而卓然獨立。這是形成一種真正哲學思想的先決條件。無此造詣的人，即令能非常熟悉的背誦一整套的哲學名詞，必仍然不真的懂得什麼是哲學。禪宗所說的「學語之流」，即是指缺乏哲學上真正造詣者而言的。

⓴ 同上書第八五頁。

再者，有人認爲辯證法是研究哲學的特殊方法。實際上，辯證法應是融會貫通一切彼此矛盾的知識後所獲得的產物。誠然，用辯證法亦可以「引導心靈對於實在直接有所見到」。然而辯證法的方法或規則，是屬於理知的範圍；辯證法的本身，才是超理知的。這就是說，用辯證法的思辯方法，其對於哲學的研究，仍然是屬於理知的範圍；若真能懂得辯證法的本身，必已是獲得了直覺。不過，用辯證法的思辯方法，是有助於反省的工夫。合用辯證法與反省法應是較爲容易的達到直覺。所以此兩者可以說是獲得直覺的工具。唯物辯證法者及主張科學的哲學者，他們皆拒絕直覺。他們固皆是「安其所習，毀所不見」；而唯物辯證法者，尤其是不懂得反省的人物。至於有人認爲直覺主義與神秘主義是同義語，此即是不知直覺爲何物。直覺必是一切迷霧全消，一切疑難盡釋後而又虛靈不昧者。此就是心與理之融合，亦就是心之本體。心之本體的活動，才是真正的思想。由真正的思想所形成的體系，當然便是一種哲學，這何能有神秘感。某些宗教思想之具有神秘色彩者，亦可能是某些宗教家並未真的獲得直覺而打誑語，亦或者爲了易於傳播其宗教思想而故示神秘而已。直覺的本身，決非神秘之感。

二、宋明理學的方法論

介石先生認爲「中庸是本體論，而大學則是方法論」。宋明理學家，大體上是以大學的內聖方法而建立其哲學，並以外王的理想而實踐其哲學。這是儒家的歷聖相傳的方法，亦就是所謂「聖賢不傳之學者」。理學家最重視方法論。他們認爲，祇要方法正確，則其所得者必正確。宋明理學家，對於道體或心之本體，固亦有不盡相同之意見；然而引起爭論者，厥爲方法的不同。朱陸異同，其爭執者即是方法。王陽明的大學問，亦是表示與朱子的方法有不同。這就是說，宋明理學家雖皆以大學的方法爲方法；但對於大學的方法，則仍有不同的看法。

所謂大學的方法，即是：「大學之道，在明明德，在親民，在止於至善。知止而後有定，定而後能靜，靜而後能安，安而後能慮，慮而後能得。物有本末，事有終始，知所先後，則盡道矣。古之欲明明德於天下者，先治其國；欲治其國者先齊其家；欲齊其家者，先修其身；欲脩其身者，先正其心；欲正其心者，先誠其意；欲誠其意者，先致其知致；致知在格物。物格而後知至，知至而後意誠，意誠而後心正，心正而後身脩，身脩而後家齊，家齊而後國治，國治而後天下平。自天子以至於庶人，壹是皆以脩身爲本。其本亂而末治者否矣。其所厚者薄，而其所薄者厚，未之有也。」這一段話，即是整個大學方法論的綱要。依此所述，則知所謂大學之道，其基本綱領，即是「在明明德，在親民，在止於至善。」朱子稱此爲大學的三綱領，王陽明則認爲「明明德必在於親民，而親民乃所以明其明德」，故明德親民實爲一事。我們姑不論應作如何解釋；然而宋明理學家，以明明德爲他們治學之目的，則是無可置疑的。然則如何以明明德呢？僅管程朱與陸王，雖有不同的意見；但他們都承認明明德的目的是在於親民，而明明德的工夫則是在止於至善。吾人認爲，止至善是內聖的目的，親民則是外王的理想。因此，定靜安慮得是內聖的課程；格致誠正修齊治平則是外王的課程。外王的課程以修齊爲本，內聖的課程以靜安爲功。不靜不安，不能作聖；不修不齊，不能治平。然則如何修身呢？從工夫的次第來說，則是應從格物做起，所謂「物格而後知至，知至而後意誠，意誠而後心正，心正而後身修」。這就是說，能格致誠正，則能修身。然則如何格物呢？則就是要能靜與安。不靜不安，不僅不能作聖，亦且不能慮不能得。不能慮，如何能格物呢？所以定靜安慮得是格物的基本。吾人姑不論，「格物」二字應作如何解釋，而格物必須以定靜安慮得爲基本，則是無可置疑的。宋明理學家雖未有如此清楚之說法；然而此說與宋明理學之精神則全不相違背。而且，這正是儒佛之所以有區別。因儒佛雖同時主靜，然而佛家之靜，則溺於空寂。也可以說，佛學是以靜爲目的。至於儒家之主靜，則是以修齊治平爲目的。此即是儒家以靜爲一切學問或工夫之起點。於是，儒佛之異，當已判然。然則如何能靜呢？照大學所說，應從知止做起。吾人認爲，知止，即是知止於至善。知止於至善與在止於至善是不同的。在止於至善是爲學之目的；知止於至善是工夫的起點。孔子所說的「吾十有五而志於學」；孟子所說的「可欲之謂善」，皆即是指「知止」而言。人無向善之心，或無求學之志，則一切工夫與學問皆無從談起；所以大學的內聖外王之學，是以知止爲起點而期以完成明明德的大人之學。照這樣說來，止與定，實乃靜之先決條件。不能止與定，當然便談不上能靜了。

在這裡，吾人須作進一步陳述者，此知止及定靜安慮得等六個步驟，是與孔子孟子的治學歷程，大抵相同。論語爲政章曰：「吾十有五而志於學，三十而立，四十而不惑，五十而知天命，六十而耳順，七十而從心所欲不踰距。」這是孔子治學的六個歷程。孟子盡心下章曰：「可欲之謂善，有諸己之謂信，充實之謂美，充實而有光輝之謂大，大而化之謂聖，聖而不可知之謂神。」這是孟子治學的六個歷程。吾人祇須稍作比較與分析，則知「止定靜安慮得」，與「善（知止），信（定），美（靜）大（安），聖（慮），神（得）」及「學（知止），立（定），不惑（靜），知天命（安），耳順（慮）不踰矩（得）」是相通的；而且與坤卦文言所說：「君子黃中通理（知止），正位居體（定），美在其中（靜），而暢於四支（安），發於事業（慮），美之至也（得）」亦是相通的。有人認爲，定靜安慮得之慮，何能與聖相提並論？此乃不知慮爲何物也。洪範曰：「思曰睿，睿作聖。」思慮之與聖相提並論，並非無據。吾人認爲，此「止定靜安慮得」以及「格致誠正修」等，就其工夫之程序來說，是知止而後能定，定而後能靜；或能得而後能格物，物格而後知至的一步步的完成作聖之功；若從工夫的極致來說，則任何一個步驟，皆可以臻於聖人之境。例如知止，真能知止於至善，則便是入於聖域而無疑；又如定，真能定而不亂，則必能靜安慮得；真能有得，則便能美大聖神；又例如格物，真能格去物慾或「窮至事物之理，欲其極處無不到」則便是完成了作聖之功。陽明以身心意知物爲一物，以格致誠正修爲一事，其意即是如此。如此吾人應瞭解大學的方法是什麼了。

在這裡仍須作進一步陳述者：第一、有人認爲，內聖的課程，何以不以慮得爲功，而以靜安爲功呢？第二、止定是靜之先決的條件，這是不錯的，問題是，除了由定而靜外，是否另有靜的方法呢？茲由第二點先說起：佛教徒大體上是以靜坐而做到靜。宋明理學家亦贊成靜坐，但反對坐忘。伊川曰：「司馬子微嘗作坐忘論，是所謂坐馳也。」㉑因爲宋明理學家

㉑ 近思錄卷四。

認爲，若不能操存此心，以爲一身之主，而徒厭思慮之多，欲一切驅除屏息，即此欲忘之心，便已不能忘。所以程子又曰：「有忘之心，乃是馳也。」因此，宋明理學家皆贊成孔子的「操存」㉒，而反對坐忘。宋明理學家多用孟子的「求其放心」，及「平旦之氣」，「必有事焉」「勿忘勿助」等方法而做到靜的工夫㉓。尤其是王陽明，可以說在方法上是完全學孟子。至於佛教徒則是贊成由靜坐而坐忘。由此已足證理學與佛學在方法上確是完全不同的。再者，宋明理學家，更主張用一敬字而涵養到靜字。明道曰：「涵養須用敬，進學則在致知。」又曰：「居處恭，執事敬，與人忠，此是徹上徹下語，聖人元無二語。」明儒史玉池對程子「徹上徹下」之說，有非常透闢的發揮，由此亦可見宋明理學家對於「用敬」是如何的重視。因爲「敬而無失，便是喜怒哀樂未發之中。敬不可謂中，但敬而無失，即所以中也。」㉔又或有問伊川：「曰，先生於喜怒哀樂未發之前，下動字，下靜字？曰，謂之靜則可。然靜中須有物始得，這便是難處。學者莫若且先理會得敬，能敬則知此矣。」（註同上）於是，則知宋明理學家之所以用敬而涵養靜，實亦是經驗之談。現在乃可進而說明，內聖的課程，何以應以靜安爲功了。照以上所述，靜便是未發之中，亦就是此心之本體。內聖的工夫，只是復此本體而已，當然應以靜安爲功。同時，若真能獲得此心之本體，亦就是獲得了真正直覺或真

㉒ 見孟子告子上篇：「孔子曰，操則存，舍則亡，出入無時，莫知其鄉，惟心之謂歟？」

㉓ 求其放心及平旦之氣，皆見告子上篇；必有事焉及勿忘勿助，皆見公孫丑上篇。

㉔ 近思錄卷四。

正的思想。世人祇知大學之道，是談的修養之道而不知大學之道是哲學的方法論。此亦無怪其然。因爲如唯物論者及贊成科學的哲學者，他們既不「知止」，又何能識得大學之道的真義。

三、介石哲學的方法論

介石先生認爲大學是方法論。介石哲學的方法論，可從「大學之道」及「孫子兵法與古代作戰原則以及今日戰爭藝術化的意義之闡明」這兩篇講詞而識其大要。介石先生說：「我認爲革命軍人存養省察工夫的要道，就是大禹謨裡面所說的『人心惟危，道心帷微，帷精惟一，允執厥中』。這四句話，是我們中國歷代聖賢相傳的心法，自來認爲是高深而難解的哲理，所以我總不敢輕率的提示大家，但我個人四十年來，可以說是以此四語爲朝夕修養的箴言，不敢一日或忘。」[25]又說：「危字的意思，就是要你能乾乾惕惕，操危慮患。中庸所謂『戒愼乎其所不睹，恐懼乎其所不聞』。孟子所謂『操之則存，舍之則亡，出入無時，莫知其鄉』，即言乎危之至也！至於微字的意思，乃是講道心幾微，即中庸所謂『莫見乎隱，莫顯乎微』，孫子所謂『微乎微乎，至於無形，神乎神乎，至於無聲』。如果你不能『知微知彰』，那就會『違道愈遠』。所以我們以人心之危，求道心之微，即非『惟精惟一』，不能『執中』，執中就是『擇善而固執之』的意思。現在我可以再淺顯的加以引伸地說，危微精

[25] 見「孫子兵法與古代作戰原則以及今日戰爭藝術化的意義之闡明」講詞。

一的義理，就是指的人心最容易以私欲自蔽，見利忘義背天逆理，陷於危殆的境地。必須要以臨深履薄，閑邪存誠、勿忘勿助、時時體察著的戒愼恐懼知危之心，來克服他。道心則是難見而易昧的，所以要以微求之，我們要能知危求微，必須從專精專一的上面去下工夫，然後才能允執厥中，恰到好處。這中字的意義，就是上句惟精惟一的工夫之極致，亦就是言其工夫到了大中至正、聖神功化的領域。但到此境地，則又不是藝術化所能賅括，而只可以心法代之了。」（註同上）依此所講的看來，則知介石先生是以歷聖相傳之心法作爲哲學的方法論。他又說「我們既已知危微精一中是我們革命將領精神修養工夫的心法，但如何能夠實踐這個心法，那就要研究了。我以爲大學上『定靜安慮得』底工夫，就是我們進於危微精一中的門徑。」（註同上）他又說：「孟子曰『持其志毋暴其氣。』又曰：『配義與道，無是餒焉，是集義所生者，非義襲而取之也，行有不慊於心則餒矣。』此皆言止、定、靜、安、慮、得的工夫，亦就是『窮理知本（知言）則知止，集義養氣則有定』的道理。此二語乃是吳草廬依據孟子養氣章『我知言、我善養吾浩然之氣』，以及前面所舉的『集義所生』之意，來解釋大學『知止』與『定靜安慮得』的意義的。所以他在這二語之下又說：『定則靜矣。靜如止水，安則無慮而不自得也。』我以爲他的解釋，大體沒有錯，不過他將孟子知言來闡說大學知止的意義，似乎太狹義些，所以我乃將其知言改爲知本，即對每一事物只要窮究到了其根本（明德）所在之處，就是知止。所以我將他改爲『窮理知本則知止』，就是這個意思。因爲自格致以至治平八目，皆有其基本至理——即『眞理』所在，亦就應各有其『知止』所在。而不僅是對知言爲知止而已。而且此正與大學中『此謂知本，此謂知之至也』的原文，足以相互參證，更易了解，所以我認為這『窮理知本則知止』一語，亦不僅是研究哲學的法則，而且亦可作為研究科學的準則了。」㉖就以上所述，當知介石哲學的方法論是以「知止」為目的以「窮理知本」為手段，以「定靜安慮得」為門徑、以「危微精一中」為工夫。介石先生此所謂之「中」，即是指此心之本體而言。這是融會貫通大學之道及所謂十六字心傳而有所創新的哲學方法。即以「窮理知本」四字來說，這就是會通陽明與朱子的方法而有所創新的哲學方法。因所謂「窮理」，乃程朱的「在即物而窮其理也」；所謂「知本」，乃陽明的「致良知」也；所以窮理知本即是融合了朱子與陽明的方法而又能補救其偏失。蓋窮理而不知本，或知本而不窮理，則其所「知止」者，未必真能「止於至善」。介石介先在「讀王陽明大學問的幾點意見」中曾說：「所謂『物有本末，事有終始，知所先後，則近道矣』者，此乃連接前後二段而言。故其前兩語『物有本末，事有終始』者，不僅對明明德至慮而後能得而言，其後兩語『知所先後，則近道矣』，亦不僅對古之欲明明德於天下者，以至國治而後天下平而言。蓋事與物皆有本末、終始，與先後所在也。至陽明所謂『工夫條理，雖有先後次序之可言，而其體之惟一，實無先後次序之可分』之說，乃其體道窮理之所得，用意良深，殊非一般學者所易了解，蓋將以為既無先後次序之可分，則何有先後次序之可言？其實身、心、意、知、物者，乃對其條理之形言之，故有先後次序之可言；至格、致、誠、正、修者，乃對其工夫之神言之，自難有先後次序之可分了。余在上年九月七日記事中（伯達謹按：

㉖「大學之道」下篇。

此是五十二年三月八日所記，所謂『上年』，當係指五十一年而言），頗有疑竇，但經數月之體念，至今豁然了悟，蓋已無復容疑矣。」由此，亦足證介石先生爲了融會貫通朱子與陽明之方法，其用力之勤，亦非一般人所能及。

四、介石哲學方法之進一步的研究

依以上所述，吾人當已知介石哲學的方法論是什麼了。惟仍須略爲陳述者：第一、他認定「哲學思想的建設，主要是一種治心的工夫。」㉗如何治心呢？以上所說的危微精一中及定靜安慮得等皆是治心之法。治心的工夫何以就是哲學思想的建設呢？我們祇就靜與安來說，「靜了之後，此心便能泰然，怡然無入而不自得。這樣就能進入了安的地步，所以說靜而後能安。安了之後，對於事事物物，便能深思遠慮，精究熟察調處一切，無往而不得其宜，亦無往而不收其功。」㉘那麼，靜與安所表示的確就是朱子所說的，「而一旦豁然貫通焉」；所以我們認爲靜便是此心之本體。於是，若真能靜，則便是獲得了真正的直覺或真正的思想。我們可以這樣的說，若不識得什麼是直覺，則既不能懂得宋明理學，亦不能真的懂得介石先生的哲學。即如「自勉四箴」及「科學的學庸」，必須識得什麼是直覺，方能識其奧義。第二、有人認爲，大禹謨是僞古文，實已成定論；而且，所謂十六字心傳，很可能是東晉梅賾，

㉗ 見「反攻復國心理建設臺灣為三民主義模範省的要領（上）」講詞。

㉘ 「大學之道」上篇。

本於荀子解蔽篇所說的而僞造此十六字以竄入僞古文中。可見所謂心傳，實亦僞學而已。對於此種觀點，我們可分兩方面答覆之：一方面，我們對於今古文的問題，可置勿論；然而論語堯曰篇的「允執其中」之說，並無人懷疑是僞造的。同時，荀子解蔽篇所引道經之說，亦無人懷疑其爲僞造，可見所謂十六字心傳，確是先秦儒家的思想。即令此十六字確是梅頤所最先提出，亦不得謂之爲僞學。所謂僞學，乃心知其非，而口說爲是；或強不知以爲知也。其次一方面，此十六字心傳，完全是一種治心之心法而已。一個人，祇要真能依此心法以治心，而又真能有效果，其心至少必是正大光明的。治考據訓詁之學者，他們知不及此，故毀其爲僞學。我們認爲，此十六字心傳，是治心之法最精確者。依此心法所示，吾人必須是「戰戰兢兢，如臨深淵，如履薄冰」的而以仁守之才真能有效果。孔子曰：「回也其心三月不違仁，其餘則日月至焉而已矣。」㉙可見仁之難能及以仁守之之不易。孔子又曰：「知及之，仁不能守之，雖得之，必失之，知及之，仁能守之，不莊以涖之，則民不敬。知及之，仁能守之，莊以涖之，動之不以禮，未善也。」㉚過去我對於孔子此說是完全不懂得的。近年來，才知此確是經驗之談。此所謂「仁能守之」，即是「允執其中」之意。人能識得此心之本體，可以說是「知及之」；要能「允執其中」，則必須「仁能守之」。然而人心之危道心之微，以顏子之好學，才能其心三月不違仁，要能以仁守之，確是非常難的。於是，我們當知所謂

㉙ 論語雍也篇。

㉚ 論語衛靈公篇。

十六字心傳，實是教人應戰戰兢兢的而又能精以察之的以治其心，其說本身，實爲最上乘之心法，吾人何能目之爲僞學？此乃不思之過也。第三、又有人認爲當今科學昌明，一切方法，皆不能越出科學的範圍，而科學是以實證爲依據的。凡不能實證的學說，皆屬欺人之談。例如所謂直覺，即是不能實證的。對於此種說法，吾人不願多所辨說，惟必須陳述者，所謂直覺乃是一種思想的層次或認識的境界。某人至此境界，某人便知什麼是直覺；若有十百人或千萬人至此境界，則此十百人或千萬人便皆有此直覺。直覺是至此境界者之共同主觀，亦可謂之以心印心。禪宗門下，嘗有求老師「印可」者。所謂心傳，即是以心傳心。老師傳弟子，是可以以心印心而相互印證的以心傳心，如禪宗五祖之傳六祖；至於如宋儒之接孔孟之心傳，則只能從遺教中而識其微言大義。學者雖眾說紛紜，然就宋明理學看來，理學家實有一共同之看法，此即所謂心傳是也。從這稱觀點來說，直覺亦並不是不可證明的，只是許多人未至此境界而已。羅素（Bertrend Russell）在「西方哲學史」中論柏拉圖的觀念論時，曾提到一種創造的心境，此即類似我們所謂之直覺。僅管羅素也反對形上學或直覺，此只是他對於直覺未能真有認識，且對於數學與邏輯有所偏好而已。直覺亦並非被「安其所習，毀所不見者」所能毀棄的。同時，直覺主義者是決不反對科學的。介石先生之所以稱大學中庸爲「科學的學庸」，此即是希望能溶科學哲學於一爐而決無排斥科學之意。拙著「孔孟仁學之研究」一書，附錄有「略論人心與道心」一文，其中曾論及：「人類社會之必有進步，這正是稱體而顯現之用是必然的會有此生生不已之過程。歸真返樸這是人所應有的一種修養工夫；社會進化，則是天命流行的一種自然結果。我們欲能無過與不及；惟有使社會之進化，能有助於人類之幸福與和平，而毫不私心自用，世人祇知王學近禪，而不知王學之切近實用；同時，亦祇知儒家學說是講究做人的道理，而忽視其亦是爲治國平天下而講究做人。推而廣之，此所以堯爲敬授人時，而使羲和講究歷數之學；舜爲齊七政，而乃在璿璣玉衡；同樣的，爲趕上時代，當然是應該講究科學之道。」❸這就是說，依儒家的本體哲學，是應該講究科學之道的。此亦足證宋明理學與介石哲學皆是重視科學之道。第四、介石先生在中國之命運中曾說：「所謂窮理，要看清楚現實，要認清環境，要剖析事物的內容，要把握問題的焦點，不含糊，不虛僞。所謂知言，要把各種學說主張，察其動機，明其意義，考其所用的方法，求其證據於事實，不模稜兩可，不附和盲從。這樣的做去，無論衆說的論理怎樣紛紜，辭句怎樣巧妙，一到了我們的面前，就可以很明瞭的判斷他的是非得失，乃至禍福成敗。」由此當知「窮理」與「知言」實就是科學精神。窮理知本或知言養氣，實就是科學與哲學的合一。此義實非淺薄之流所能明其究竟。第五、介石先生五十一年夏季在病中，「再將朱子與陽明二者的格致之說，重加複習之後，乃知此二子對格致之說，自外表上驟然觀之，似乎朱子以物爲外，以理爲外，乃注重物理，而以陽明致良知來解釋格致，乃有專重於精神與心理，而忽視物質，不免違反了科學之念，自從此次重讀之後，乃知程朱所謂『言欲致吾之知，在即物而窮其理也』，所謂『人心之靈莫不有知，而天下之物，莫不有理，惟於理有未窮，故其知有不盡也』。就覺得程朱所謂『天下之物，莫不有理』，及其所謂『即物窮理』之理，其對物理的解釋，

❸ 拙著孔孟仁學之研究初版一二六頁現再版易名為「孔孟仁學原論」，原「附錄」經略加整理，改為「導論」。

莫不以理爲本，皆不外於理，此其決非以理爲外者也。凡所謂理者，無論人的心理與物的物理，皆由天賦之理。不過其理因事物之不同，而各有其定分而已。故天下萬物（人亦在內），皆出自於天。故其萬物之理，亦皆一本於天，此即天命之性的天理，而爲萬物眾理之所自出也。陽明解釋理與性與心、意、知、物之要義曰：『理一而已矣，以其理之凝聚而言則謂之性，以其凝聚之主宰而言，則謂之心。以其主宰之發動而言，則謂之意。以其發動之明覺而言，則謂之知。以其明覺之感應而言，則謂之物（事）。故就物而言謂之格，就知而言謂之致，就意而言謂之誠，就心而言謂之正。正者正此也，誠者誠此也，致者致此也，格者格此也，皆所謂窮理以盡性也。』陽明這一段文字的解釋，其意義之精確，我以爲乃發程朱之所未發，超越前人多了。故其對身、心、意、知、物與修、正、誠、致、格的解釋，其內容皆有一貫的條理與工夫所在，所以他說『身、心、意、知、物者是其工夫所用之條理，雖亦各有其所，而其實只是一物。格、致、誠、正、修者，是其條理所用之工夫，雖亦皆有其名，而其實只是一事。』其所指之一物一事者，無也，只是一本於理之理，即一本於天命之性，此亦即指良知是也。而且程朱亦在中庸緒言裡說：『其書始言一理，中散爲萬事（事亦物也），末復合爲一理』，可知朱王皆承認萬物之理，皆出於天命之性的理，這是朱王二派都認爲理無內外之別，亦無心物之分的明證。朱子所謂『必使學者，即凡天下之物，莫不因其已知之理而益窮之，以求至乎其極，至於用力之久，而一旦豁然貫通焉』。此所謂天下之物的物，與已知之理的理，以及天下之物，莫不有理的理，皆指出自天命之性的物與理而言，不過皆要由我們人心之靈的知（即良知）來用力窮究之，以止於至善，方能將此理豁然貫通而已。所以陽明曰理一而已，於此更可知道朱王學說的內容，實質上歸根結底，仍是一致的。所以無論朱王爲學，都不外是窮理盡性，格物致知，不過其教人爲學的方法，朱則要教人先研究事物而後歸之約，王則要使人先發見其本心，而後使之研究事物，其實這只是在其邏輯方法上運用有所不同罷了。換言之，依照今日一般說法，就是：朱則用歸納法，王則用演繹法，朱則要由博而約，由外而內；王則要由約而博，由內而外，其實兩者皆應互相爲用，就可殊途同歸。因之陽明在當時雖對程朱大學的解釋，其意見是完全對立的，但在五六百年以後的今天，我以此二子的哲學基礎，皆是一本於理，一本於天命之性，其文字解釋，雖各有不同，而其在基本精神上，並無多大出入，因爲中國道統哲學，皆以天理天性爲本，而且這天理天性，不僅指人，而亦包括於天地萬物在內。所以中庸說『唯天下至誠，爲能盡其性，能盡其性，則能盡人之性，能盡人之性，則能盡物之性，能盡物之性，則可以贊天地之化育，可以贊天地之化育，則可以與天地參矣』。又曰『誠者非自成己而已也，所以成物也。成己仁也，成物智也，性之德也，合內外之道也，故時措之宜也。』。觀此就可以知道中國道統哲學之偉大，不僅人己不分，而且是心物一體，內外一貫的。今日之物理與科學，研究發展的由來，皆不能超越他這一個學說。所以陽明又說『大學者，大人之學也，大人者，以天地萬物爲一體者也。大人之能以天地萬物爲一體者；非意之也，其心之仁本若是……』。我以爲這大學一書，不僅是中國正統哲學，而且是現代科學思想的先驅，無異是開中國科學的先河！如將這大學與中庸合訂成本，乃是一部哲學與科學的相互參證，不僅是心物並重內外一貫，而且是知行一致的最完備的教本，所以我乃稱之爲科學的學庸。」（同註廿六）要真能懂得這一段話，必是「非意之也」。吾人必須認識者，即依這一段話所示，吾人應知介石先生的哲學方法，既是科學與哲學的合一，也就是知行的合一。所謂知與行的合一，從本體論來說，即是心物之合一；從方法論來說，即是心物一體，內外一貫。此義至深，凡以個人之私意私智而猜測之者，終必無所得。這是研究介石先生哲學方法所最不可忽視者。

第四節 介石哲學的認識論與宋明理學

一、何謂認識論

有人認爲，哲學的認識論，即是論究吾人如何能認識外物。在西方古代，常將論理學與認識論混爲一談；因爲論理學即是認識外物的最主要的方法。

在西方古代，認識論亦與形上學混爲一談，直至洛克（John Locke），在其名著人間悟性論（Essay concerning Humen understanding）中，始有組織的攻究認識之問題，分爲認識之起源，認識之界限，認識之本質及效力。惟洛克專從心理方面考察之，後人認爲多有未備之處，至康德始集認識論之大成。康德是對形上學發生疑問，而認爲吾人認識能力，對於形上學是否有攻究之可能？康德確是不知直覺爲何物的。其所謂之二律背反，即足以證明他對於此理未能融會貫通。從融會貫通來說，他是不如黑格爾的。吾人認爲，對於認識問題，欲能獲得圓滿之解答，是不能忽視形上學的。從宋明理學的立場來說，本體論、方法論，與認識論其名雖有三，其理則一貫。若不識得此一貫之理，對於此三者必皆不能獲得正確之答案。

二、宋明理學的認識論

第一、就認識之本質來說，宋明理學家都承認有人心道心之別。蔡九峯書經集傳云：「心者，人之知覺，主於中而應於外者也。指其發於形氣者而言，則謂之人心；指其發於義理者而言，則謂之道心。人心易私而難公，故危；道心難明而易昧，故微。惟能精以察之，而不察形氣之私；一以守之，而純乎義理之正。道心常爲之主，而人心聽命焉。」又陽明傳習錄上有云：「愛問、道心常爲一身之主，而人心每聽命，以先生精一之訓推之，此語似有弊。先生曰，然。心一也。未雜於人，謂之道心；雜以人僞，謂之人心。人心之得其正者即道心，道心之失其正者即人心，初非有二心也。程子謂人心即人欲，道心即天理，語若分析，而意實得之。今曰道心爲主，而人心聽命，是二心也。天理人欲不並立。安有天理爲主，人欲又從而聽命者。」人心道心之說，陽明與朱子雖有不同的說法；但大致上都承認人心是道心之失其正而自私不公者。程伊川曰：「公則一，私則萬殊，人心不同如面，只是私心。」㉜照這樣說來：第一、道心即是一；若不「一」則是私慾所蔽；然則什麼是「一」呢？角者吾知其爲牛，鬣者吾知其爲馬，飛者爲禽走者爲獸。凡屬人類，莫不知其皆然。此人心之所同然，亦當然就是一。若「一」之義果就是如此，則便是素樸的實在論。宋明理學雖不完全否定感官的知識；但決非素樸的實在論。其所謂道心，是直指此心之本體而說的。因此，宋明理學所謂之道心，就是此喜怒哀樂未發之中。第二、此所謂「中」或「心之本體」，是從形而上

㉜ 近思錄卷一。

學說的。形上之心是一種「獨知」，是不受存在影響的；若爲私慾所蔽，則便受存在影響而不「一」了。宋明理學所謂之「一」，實有兩種解釋。一種解釋，即是「獨知」或直覺；另一種解釋，即是對事物認識之一致。前者是道心，後者是道心之未失其正；前者是未發，後者是發而皆中節。第三、照佛家的看法，凡感官的知識皆是虛妄的，祇有本體之知才是真的。儒家則認爲，凡認識而是道心之未失其正者，亦即是發而皆中節者，雖感官之知，亦仍不失其爲真知。此儒家之所以講道德說仁義，而承當一切現實的問題；佛門弟子則逃避一切現實，而祇講求「直下承當」㉝。第四、照以上所述，則知宋明理學所謂之「知」，實有兩種：一是對於本體之知，一是對於現象之知。對本體之知，即是「獨知」，亦即本體對於自己之知道。本體對於自己之知道，即是道心，亦就是真正的思想。凡思想而是受了外在的影響者皆不是真正的思想。因爲真正的思想或此心本體，是不能受任何外在的干擾；稍受干擾，便是理學家所謂之爲私慾所蔽了。至對於現象之知，可以說是一種感應的作用。明道曰：「天地之間，只有一個感與應而已，更有甚事。」㉞什麼是感與應呢？薛敬軒曰：「感應之理，於太極圖陰陽互根見之。」（註同上）這就是說，陰以感陽，則陽是應；陽以感陰，則陰是應。於是，我們當可以說，對於本體之知，是本體自己的感與應，是內在感應；對於現象之知，則是能知與所知的感應，是外在的感應。宋明理學家對於這兩種感應都是承認的，這就是他

㉝　直下承當乃禪宗門下所習用之術語，與本章中所一再提及之直覺，其義頗為近似。

㉞　近思錄卷一。

們對於認識之本質所作的肯定。

第二、就認識之起源來說，宋明理學家是承認有經驗之知與超經驗之知。程朱所講的即物窮理，是指經驗之知而言；其所講的而一旦豁然貫通，則就是指的超經驗之知。以上所說的本體對自己的認識，當然是一種超經驗之知；從超經驗之知來說，是主張物外無心心外無物的。因此，陽明心外無物之說，不能視同西方的觀念論，這是研究宋明理學者所應分辨清楚的。再就程朱所講的即物窮理來說，這固是不否定經驗之知；然必須而一旦豁然貫通。朱子曰：「蓋人心之靈，莫不有知；而天下之物，莫不有理，惟於理有未窮，故其知有不盡也。是以大學始教，必使學者即凡天下之物，莫不因其已知之理而益窮之，以求至乎其極。至於用力之久，而一旦豁然貫通焉，則衆物之表裡精粗無不到，而吾心之全體大用，無不明矣。此謂物格，此謂知之至也。」朱子此說，是謂心有知而物有理。知識之形成，即心理之合一。從這種觀點來說，是無所謂存在決定思維或思維決定存在這一類的問題。因爲宋明儒者皆承認心是自主的，同時亦不否認外在世界之存在，而認定此外在世界之理是可以與此心合一。這就是心物合一的認識論。

第三、就認識之範圍來說，宋明理學既非懷疑論亦非獨斷論。固然，本體對於自己之認識，無待於外界之經驗，似陷於神秘的獨斷論；然而此有知之心之所以能認識此心之本體，則全賴於能作澈底的懷疑。禪宗有大疑則大悟，小疑則小悟，不疑則不悟之說。理學家亦是不反對懷疑的。中庸所謂之審問、愼思、明辨等，實皆是教人應如何從懷疑而獲得眞理。所謂而一旦豁然貫通焉，亦就是疑慮盡消。疑慮盡消，當然就是由疑而悟。再者，所謂「在止於至善」，亦是教人應由疑而知止。疑而能知止，這當然不是絕對的懷疑論。宋明理學，乃是由內省的懷疑而至內省的不惑。所謂內省的懷疑，乃真正而澈底的懷疑；所謂內省的不惑，乃止於至善的不惑。由懷疑而至於不惑，這當然是一理性的過程；然至於不惑，則便是超理性而變爲信仰了。宋明理學是肯定「知」是無限的。繫辭上傳所謂「知周乎萬物而道濟天下」，及「範圍天地之化而不過，曲成萬物而不遺」等，皆爲宋明理學家所信奉不疑。宋明理學認爲陰陽二字即可以盡天地之變化。我們可以這樣的說，宋明理學的認識論，實與其本體論或方法論不能隔開，宋明理學是以一套工夫或方法而證知本體。其所證知的以及其有意實踐的方法，皆是其認識。所以宋明理學的認識論，是由其方法論與本體論所決定的。因其如此，所以宋明理學未能發展而爲西洋式的認識論。從宋明理學看來，西洋式的認識論固未必全是戲論，然其「有諸己」者究竟是什麼，則是很難說的。西洋式的認識論，從其所建構的體系來說，確是非常精緻而艱深的。如康德之艱深，或許祇是以艱深文其淺陋；而其精緻的語言或體系，也或許祇是一種遊戲而已。宋明理學，祇要能對其真有認識，則其「自得之」者便非語言所可能完全形容的。力行實踐，這也可以說就是宋明理學的認識論。

三、介石哲學的認識論

有人認爲，介石哲學的認識論是行的認識論。本於力行哲學而認定介石先生的整個哲學是行的本體論，行的方法論，行的認識論，行的人生論，亦是言之成理者。吾人認爲，介石先生對於知與行的認識，大體上是融會貫通了「知難行易」與「知行合一」之說而有所創新的。從認識的觀點來說，他是認定知在行先。他曾說：「各級將領經過廬山訓練以後，雖然知道三民主義是國家民族的靈魂，但是對於三民主義的終極目的，認識還是不夠澈底。所以只能發揮一時的勇氣與力量，而沒有產生一種持久不斷的恒心，與自強不息的精神。換言之，就是沒有真知，所以不能力行。」㉟依這所示者看來，力行是以真知爲基礎的，這當然是知在行先。不過，若從實踐來說，則行又比知重要。他曾說：「要解釋知難的問題，也唯有從力行中去求。總理說：『能知必能行』。我還要續一句『不行不能知』。因爲我們都是後知後覺，我們除了基本的革命大義以外，所知的實在是有限。因此我們一方面固然應當竭力求知，同時應該從力行中去求真知，凡是我們學問經驗中認爲已經獲得的知識，如果不是經過實行而證明爲有效，就不能斷定所知者果爲真知。」㊱依這一段所示者看來，真知是應該從力行中去求得的，這當然是行比知重要。於是，我們應當然可以理解了：若從知與行的先後來說，則是知在行先；若從知與行的重要性來說，則是行比知重要。因此，吾人應以「真知」而貫澈「力行」，並從「力行」而認得「真知」。這就是說，知以行爲目的，行則是知之實踐。行之成功，乃知之真切。力行哲學，雖是本於「行易」之遺教而重視行之效用，然亦是肯定知與行是不可分的。這是他對知難行易與知行合一之融會貫通，這當然是對於知識論的一種貢獻。

㉟ 見「實踐與組織」講詞。

㊱ 見「行的道理」講詞。

吾人仍須作進一步陳述者，即所謂知行合一，亦即是心物合一。依宋儒「體用一原」之說，則知此宇宙的本體，是事實上有顯現爲如此的宇宙的大用之可能。這就是說，此宇宙的本體，是已顯現爲如此之宇宙。因其如此，所以此體之顯現爲用，既非盲目的，亦非虛假的。因其不是盲目的，所以本體是有知的，此本體之知即我們所謂之道心；因其不是虛假的，所以本體是實踐的，此本體之實踐即是行，亦即通常所謂之物。陽明先生的知行合一之說，須從此等處理解，才比較真切。這就是說，本體是知與行的合一，亦就是心與物的合一。因此，陽明的知行合一之說，是一種事實判斷，亦即是從本體論而說的。能明乎此，則知介石先生所說的：「總理所謂知難行易的知，與王陽明所謂知行合一的知，二者本體是完全不同的。」㊲其意義究竟是什麼了。介石先生因肯定「二者本體是完全不同的」，所以乃肯定人類之良知與科學之知識是完全不同的；但是，這亦不是說這二者不是相輔相成的。他曾說：「知的本源在於人類的本性，不必外求。就表面上說，我們求知要接受民族的經驗和教訓，要學習外國的科學和技術。然而就實質上說，知識如果無得於己，不能算真知。惟有有得於己的知，才是真知；不但真知，亦且易行。」㊳這是就知之本質或本體說的，這是無待外求的，這就是對於本體之認識。他又說：「智究又從何而生呢？總理說：『智何自生？有其來源。約言之，厥有三種：一由於天生者，二由於力學者，三由於經驗者。中國古時學者，亦有生而知

㊲ 見「總理知難行易學說與陽明知行合一哲學之綜合研究」講詞。

㊳ 中國之命運第六章。

之，學而知之，困而知之之說，與此略同』。智之由於天生者，例如孝父母，知廉恥，耳能聽，目能見，飢則食，渴則飲，都是與生俱來的本能，不待學習，乃生而知之。不過天賦究有厚薄，因而聰明的程度，便各有不同。其次由於力學者，因爲一個人天生的知能有限，應付環境，究屬不夠，必須採納眾長，補我所短，融合多數人的聰明爲聰明，接受多數人的知識，以擴充智的範圍。所以愈是力學的人，其智識亦愈廣，其所成就必較僅恃天生之智者爲高，此即所謂『勤能補拙』之故。反之，天生聰明很高，如不力學，亦難有成就。所謂『劍雖利，不礪不斷；材雖美，不學不高。』又謂『人材雖高，不務學問，不能致全。』就是這個道理。再其次，由於經驗者，這完全是自己從實際經驗體察而得。諺云：『不經一事，不長一智。』又云：『吃一塹，長一智。』所以一個人所受的艱難哲磨，所有的經驗閱歷愈多，其智識亦愈增進。受挫忍辱的時候，就是增長德業智慧的機會，而從這種機會所得來的智，較之天生與力學所得來的更爲切實可貴。總之，一個人之智識，必綜此三者而來，亦必由此三者之相互增益，然後可以成爲卓越的智識。」—[39]這雖是講知識之起源，卻亦是「說明了此三者之相互增益」。他對於本體之知與經驗之知都是承認的。這是融會貫通朱子與陽明的學說及知行合一與知難行易的哲學而所得的結論。能明乎此，則所謂行的認識，才不致誤解爲經驗論或實證論。這是吾人研究介石哲學認識論時所應認識清楚的。

---

[39] 見「軍人精神教育釋要」講詞。

四、介石先生的知識哲學與人生哲學

綜結以上所述，吾人當可理解到介石哲學體系之形成，是由於先有從事哲學之志，然後由於有一套研究哲學的方法，而悟得哲學的本體。由本體哲學乃導出知識哲學，由知識哲學乃導出人生哲學。他的人生哲學是由其本體哲學與知識哲學所導出的，此所以研究介石先生的知識哲學時應順便研究他的人生哲學。有些哲學、方法論是屬於認識論，而本體論亦是由認識論所決定的。有志於從事哲學及使用一套方法以研究哲學，這當然是屬於哲學的認識；但從宋明理學來說，必須識得此心之本體後，則其所認識的才是真而不妄的。此所以宋明理學是由本體論而決定認識論；也當然就是介石哲學之所以由本體論而導出認識論。青原惟信禪師曾說：「老僧三十年前，未參禪時，見山是山，見水是水。及至後來，親見知識，有個入處，見山不是山，見水不是水。而今得個休息處，依前見山祇是山，見水祇是水。」這就是說，在證知本體之前與證知以後，其所認識的，在形式上雖然相同，在本質上應有不同。哲學的認識，從宋明理學來說，應是證知本體以後的事。青原惟信此所說的，是很恰當的說明了認得此心之本體後其所認識的究竟是什麼。因其如此，所以由本體論導出的認識論，雖可能類似素樸的實在論；然而在本質上則是完全不同的。至於如何證知本體，這就是大學所說的一套方法。這套方法。是從證知本體，而獲得認識，並因而領悟人生的真諦。這就是所謂內聖外王的哲學。這種哲學，從內而言，有證知本體的透徹的認識；從外而言，有澈悟人生的終極的理想；而這內與外，則是一貫的。於是，我們也可以說，這種哲學是以人生哲學爲目的。

介石先生說：「我以爲研究哲學的中心問題，其最主要目的還是在研究人的問題，第一研究如何才得稱之爲人，第二研究如何做人的道理，亦就是前節所說的人生問題。必須先解決這兩個問題，以後方得再研究其他心物理氣與知行等各種哲學有關的問題，如此研究哲學，才有意義，亦才有價值。所以我今天所要講的與普通所講的哲學不同之點，就是要首先解決如何名之爲人，以及如何做人，就是如何爲人的道理。如要問如何名之爲人，就是如何方得謂之人，對於這一問題的說明，不如從反面來解釋，更容易明白些，那就是我們要問凡是人類，同是一個人，怎麼有是人與不是人的區別呢？這我們可引用孟子的話來說明。孟子曰：『無惻隱之心非人也，無羞惡之心非人也，無辭讓之心非人也，無是非之心非人也，』這幾句話就可說明凡是人類必須有惻隱、羞惡、辭讓、是非之心，方得稱之爲人，否則就不能算是人，亦就是非人了。孟子又說：『惻隱之心，仁之端也；羞惡之心，義之端也；辭讓之心，禮之端也；是非之心智之端也。人之有是四端也，猶其有四體也。』這就是說明人之生而具有這仁義禮智之心，而發現於此四端。凡是一個有人格的正人，必須將此四端發現處，擴而充之，方才盡了做人的道理。簡言之，做人就是要擴充此四端，而揚其仁義禮智固有的明德，這固有的明德，就是良知，使此良知擴充而發揚之，就是致良知。由此就可知道具有此仁義禮智之明德（良知）的，方得稱之爲人。孟子曰：『人之所以異於禽獸者，幾希。』又曰：『君子所以異於人者，以其存心也，君子以仁存心，以禮存心。』我們讀了這段話，更可證明人的反面，就是非人，這非人就是禽獸。即使他具有軀幹四體，而不具備這仁義禮智之明德，亦就與禽獸無異了。那更可明白如何謂之人，如何謂之非人，而等於禽獸了。孟子在此只講仁，而不及其餘者。因爲仁居明德四端之首，故講仁就可包括整個明德了，而且未有仁而不備義禮智者也。以上乃是講明人之所以能名之爲人的道理。至於研究中國哲學的門徑，除了研究人的問題之外，對於天與心的本質，更要特別了解，並先要將這天這心與人的關係，以及這所謂天與心究竟是什麼東西，研究明白，然後才可以著手研究哲學，這亦就是我研究哲學與普通一般研究哲學者不同的一點。」[40]吾人研讀這一段話，當可以作如下之理解：第一、人之所以爲人，全賴於有此「良知」；因此，人欲能作一個真正的人，則就是要能「致良知」。所謂良知，從形而上來說，即是此心之本體；從認識的觀點來說，即是能知；從人生的觀點來說，即是人與非人之區別。因此，陽明的「致良知」三字，是包含哲學的方法論本體論認識論及人生論而說的。也就是說，致良知三字是可以盡一切哲學之義蘊。介石哲學亦是以致良知三字爲主腦而建立其偉大的體系。第二、致良知的哲學，是先要致得良知。「致」是有其一整套的方法。致得良知，即是致得心之本體。此所以致良知的哲學是由一套方法以悟得本體。悟得本體即是對本體的認識。由此認識而澈悟人性。此所以致良知的哲學是由本體論與認識論而導出人生哲學。第三、介石先生認爲，應對天與心先「研究明白」，「然後才可以著手研究哲學」。此所謂之天與心即是良知，此所謂之哲學，即是指的知識哲學。他的知識哲學是由本體哲學導出的，於此應已無疑義；至於人生哲學何以是由知識哲學導出的，則仍有略加說明之必要。我們認爲，若就形而上來說，本體哲學、知識哲學、人生哲學，皆是

[40] 同註四。

不可分的；若就形而下言，則必有先後次序之分。任何人的人生觀，必皆是他的認識所產生的結果，此所以人生哲學是由知識哲學導出的。第四、介石先生的人生哲學究竟是什麼呢？「行的道理」講詞中曾肯定的指出：「唯認行的哲學，爲唯一的人生哲學。」毫無疑義的，他的人生哲學確是「行的人生論」。他所提倡的力行哲學，實就是人生哲學。這種哲學，是法天道之「行健」，而立「君子以自強不息」之人道。從本體哲學來說，知與行是不可分的；所以力行即良知之「自強不息」的實踐，也就是致良知之致。因此，介石先生的人生哲學，實就是一個「致」字。於是，我們當可以說，介石先生的知識哲學，是貫通朱王而有所創新。他的人生哲學則是以「大學之道」而致陽明與孟子所謂之「良知」。這一方面是糾正了王學末流之弊；另一方面也是爲中國讀書人指出了一個努力的正當途徑。宋明理學，本是世間的哲學，而非出世的哲學；然因其言心言性，易流於空疏而不切實際。介石先生特倡爲力行哲學，期人人能「致知難行易的良知」，俾能「負起救國的責任」；使言心言性的宋明理學，成爲以「致良知」爲心法的實行革命主義的革命哲學，這當然是使宋明理學獲得了最佳的發展。

第三章 外王的治平思想

第一節 概說

介石先生曾說：「每一個人都知道，博大精深的三民主義，是我們建國的最高準則，而三民主義則是以倫理、民主、科學爲內涵的。」❶他是「以倫理來實踐民族主義」、「以民主來實踐民權主義」、「以科學的精神和方法來實踐科學的民生主義」；這就是說，他是以倫理、民主與科學來實踐三民主義。三民主義思想，當然就是治國平天下的思想。本章擬就介石先生之治平思想與宋明理學之關係，作較爲深入之研究，俾吾人能體認到，介石先生的思想，無論是內聖的哲學思想（如上一章中所研究者）或外王的治平思想（本章所擬研究者），皆是承繼了宋明理學的傳統並融會貫通了中山先生思想而加以發揚光大者。就上一章中所研究的看來，吾人當可以說，介石先生思體系之形成，乃本於「報國愛民之心」❷，從事哲學之研

❶ 見「建立三民主義的中心思想」講詞。

❷ 見總統「復廖仲愷書」。

究，而希望恢復「中國的立國精神」，以復興我中華民族，這就是相當於孔子的「吾十有五而志於學」及孟子的「可欲之謂善」的一套方法而證知本體，這就是「有諸己之謂信」等內聖歷程之實踐（請覆按上一章第三節）。同時，依「大學之道」的一套方法而證知本體，這就是「有諸己之謂信」等內聖歷程之實踐（請覆按上一章第三節）。然後由本體哲學導出格物致知的知識哲學及誠意正心修身的人生哲學；再由人生哲學導出治國平天下的政治哲學。吾人讀「西安半月記」全文，深覺其事其文，皆表現出「知天命」之精神，及「充實而有光輝」之偉大。這是他的內聖工夫表現在人格方面者。至於由內聖的工夫所形成的政治哲學，則就是實踐篤行與融會貫通了宋明理學及三民主義而所形成的治平思想。以下各節，擬就民族主義的倫理思想，民權主義的民主思想，民生主義的科學思想等範疇，而研究與宋明理學的關係。這一方面是說明了他的全部思想是可以納入內聖外王的一貫體系之中；另一方面也是說明了他是如何承繼與發揚了宋明理學。

第二節　民族主義的倫理思想與宋明理學

一、介石先生倫理思想概述

介石先生在「政治的道理」曾說：「倫理照中國文字的本義來說，倫就是類，理就是紋理，引伸為一切有條貫、有脈絡可尋的條理，是說明人對人的關係。這中間包括分子對群體的關係，分子與分子間相互的關係，亦即是個人對家庭、鄰里、社會、國家和世界人類應該怎樣，闡明他各種關係上正當的態度，訴之於人的理性而定出行為的標準。倫理與法制不同，就是倫理是從人類本性上啓發人的自覺的。」又說：「在中國政治哲學上，很明顯可以看出大部份就是倫理哲學，從一個人的修身推到親親，再從親親而推到睦姻任卹，推到仁民愛物。」又說：「凡是人類，必有他與生俱來的天性。愛父母、愛家庭，以及對於自身關係的同族同國人相愛相卹，推而至於愛人類，實在都是天性。無論如何否定道德和倫理價值的人，當他獨居深念的時候，或是當他疾病痛苦的時候，他一線良知發現了，這樣天性還是要完滿的發現出來。」這是他對於倫理這一概念所作的極爲明確的界說。依這一界說，則知倫理是從人類本性上啓發人的自覺的一種對於分子與分子間相互關係之正當態度。這種態度，不僅是訴之於人類的理性而所定出的行爲標準，而且是從人類本性上，亦就是從人之良知上（良知固不違反理性，卻是超理性的）所啓發的一種自覺的完滿行爲；因此，倫理也就是道德的。

然則如何建設這屬於道德範疇的倫理呢？第一、公眾道德的建設：介石先生說：「最高的政治境界，那是要化民成俗，使人人涵濡長養於禮樂之中的境界，禮樂是公眾道德，和人性發育的基本，也就是古人所謂『仁近於樂，義近於禮』的政教之原，可惜後來禮壞樂崩，人民情感理智失去節制與調和的力量，乃就演成了一個禍亂相尋的原因。樂記裡面有一段話說：『夫物之感人無窮，而人之好惡無節，是則物至而人化物也；人化物者，滅天理而窮人欲者也。於是有悖逆詐僞之心，有淫泆作亂之事，是故強者脅弱、眾者暴寡、疾病不養、老幼孤獨不得其所，此大亂之道也。』今天我們要從奸匪『滅天理而窮人欲』、『人化物』的絕境，轉變到『大道之行，天下爲公』的大同之治，實則已非恢復『禮節民心，樂和民聲』

的禮樂不爲功了。」❸第二、國民道德的建設：介石先生說：「倫理建設就是國民道德的建設，要以　總理所講的忠孝仁愛信義和平八德爲精神，以昌明我國固有的人類關係，即所謂五倫，就是以五達道爲內容，以實行禮運大同篇的博愛互助、盡己共享爲原則。中國倫理哲學的精要在於五達道，這就是五倫，實在是闡明人生個人對於其他份子的正常關係，而課以積極責任的教條，也可以說是規定群己關係的標準。」❹第三、救國道德的建設：介石先生說：「倫理建設的工作，即應以培養救國的道德爲基礎。救國的道德，不必外求。五千年來我中國國民所以能夠保持民族的生命，維護國家的生存，並能夠從危亡喪亂之中，拯救民族國家致之於復興的境域，就是我們國民所蘊積而益厚的，所鍛鍊而益精的救國道德的功能。故培養國民救國道德，即是恢復我國固有的倫理而使之擴充光大。而其最重要的條目，則爲發揚我國民重禮尚義、明廉知恥的德性。這種德性，即四維八德之所由表現。而四維八德又以忠孝爲根本。爲國家盡全忠，爲民族盡全孝，公而忘私，國而忘家，實爲我們中國教忠教孝的極則。」❺第四、革命道德的建設：介石先生說：「這個革命道德是什麼？　總理在軍人精神教育中所諄切提示的智仁勇三達德，乃是我們革命黨員要擔負非常責任所必具的黨

❸見「戰地政務和政工的方針與要領」講詞。
❹見「三民主義的體系及其實行程序」講詞。
❺中國之命運第五章第二節。

德。」❻又說：「什麼是革命道德呢？在這個革命將有失敗的危險，全國對於本黨的信仰漸漸喪失的時候，又有空前的國難，來試驗我們革命的道德，我們犧牲個人自由，尊重本黨紀律，服從大會公意，發揮出革命黨最高的道德來。」❼

依以上所示，吾人當知介石先生的倫理思想，是以公眾道德、國民道德、救國道德、革命道德等爲其內容，在本質上亦「即是恢復我國固有的倫理而使之擴充光大」。

二、倫理思想是民族主義的基礎

介石先生說：「關於民族主義的涵義，我雖然曾經以救國和文化的意義來闡述過，但這兩個名詞，對民族主義的精神，還不能完全包涵，因爲前者——救國，只可以說是民族主義的行動表現，後者——文化，只是代表民族精神的一部份，都不能妥切地作爲民族主義的精義。當然民族主義的大前提是爲著要救國，而民族精神之所託，是在於我們有民族的文化，這意思是不會錯的，但是都不能完全算是民族主義的本質。民族主義的本質，與其說是救國，或者說是文化，還不如用我們民族可大可久的特點倫理來代表民族雄厚的基礎，較爲完備。總理說：『民族思想，是根於天性』。又說：『民族主義，卻不必要什麼研究才會曉得的。譬如一個人，見著父母，總是認得，決不會把他當作路人，也決不會把路人當作父母。民族

❻ 見「革命的基本要義」講詞。

❼ 見「民族正氣」講詞。

主義，也是這樣，這是從種性發出來，人人都是一樣。』　總理在這裡所指的天性種性，換言之，就是倫理的根源，亦就是民族的基礎。」❽吾人研讀這一段講詞，當知倫理思想之所以是民族主義的基礎，因爲中山先生的民族主義，既認定民族思想是根源於天性或種性，而倫理思想也是以天性爲基礎的；而且，民族思想可以說就是愛父母愛家庭之天性的「擴充光大」；於是，從邏輯上說，倫理思想當然就是民族思想的基礎。也就是說，人類愛父母愛家庭的倫理思想經擴充光大後便自然而然的形成了民族思想。再者，我們已知道：「救國，只可以說是民族主義的行動表現」；這就是說，救國的行動是以民族主義爲本質的。人們爲什麼要救國呢？這就是「能夠把忠孝二字講到極點」。中山先生曾說：「國民在民國之內，要能夠把忠孝二字講到極點，國家便自然可以強盛！」❾忠孝是我國倫常之根本，而救國則是「民族主義的行動表現」；於此，亦可見倫理思想確是民族主義的基礎。

三、以倫理思想為本質的民族主義

依以上所述，則知中山先生的民族主義，確以倫理爲基礎。於是，亦知孫先生講民族主義時，諄諄於恢復民族固有的道德與知識，其用意何在了。那麼，以倫理思想爲本質的民族主義，究竟應該有那些特點呢？

---

❽ 見「三民主義的本質」講詞。
❾ 民族主義第六講。

第一、重建民族的倫理文化。這就是要恢復我們民族固有的道德與知識；也就是要恢復我們民族的精神與信心。

介石先生說：「倫理文化，是人性的結晶，是我們民族精神建設的本源，也就是我們復國建國心理建設的本源。我們消滅了匪軍的有生力量，摧毀了匪僞的政治結構，那還只是摧毀了它的有形的組織而已，只有清除了共產思想毒素的禍根亂源，才可使它的組織不能死灰復燃起來。所以我們必須在摧陷廓清的同時，積極的建設我們自己的民族精神，發揚我們自己的倫理文化，以激發每一個人的良知良能，使之明是非、別利害，去逆效順，爲善去惡，必如此，才能夠確保勝利，鞏固勝利。大家知道，重建民族精神——倫理文化，是一定要以哲學思想爲其動力和主導的，因之革命幹部，乃必須踐履知行合一與知難行易的革命哲學，來振奮革命精神，蔚爲復興民族文化的張本。」❿就以上所說，當知，祇有以我們自己的民族精神與我們自己的倫理文化，才可以激發我們的良知良能，使我們的民族國家，得能永遠強盛。同時，「大家知道，重建民族精神——倫理文化，是一定要以哲學思想爲其動力和主導的」；因此，倫理思想，實就是哲學思想。一般的說來，道德與倫理，皆爲人生哲學之一部份；若從宋明理學來說，則是以倫理思想而貫通哲學的本體論、認識論、方法論等各方面。陽明所謂之良知，既是心之本體，亦是知之所以爲知；而「致良知」則是一切方法之最基本者，良知當然是倫理的。介石先生的倫理思想，必須作如此理解，才比較真切。於是，所謂

❿ 同註三。

重建民族的倫理文化，也就是要重建我們的民族哲學。以倫理思想爲本質的民族主義，其基礎當然是哲學的。這是以倫理思想爲本質的民族主義的特點之一。這種顯著的特點，是中山先生思想最正當的理解，也是建國大業最主要的基礎。

第二、倫理道德力量的培植。我們認爲，重建民族的倫理文化，當然是屬於哲學方面的，也當然是屬於知識方面的；然其落實之處，必是道德方面的。這就是說，重建民族的倫理文化，必將產生「倫理道德力量的培植」。介石先生在反共抗俄基本論中曾說：

> 最後我們要指出，我們民族主義的基礎是以仁愛為中心的道德，這道德力量，就是從家庭愛，到國家愛、民族愛的倫理之中，在在都能具體表現發揚出來的。這是我們中華民族立足亞洲，屢經喪亂，仍能生存和發展的基本力量。我們認為民族的形成，雖有其他物質各種的條件，但是我們民族倫理的力量，實大於其他一切物質力量的總和。這偉大力量的根源，就是民族精神。而民族精神又以倫理道德為其骨幹。俄帝指使其第五縱隊朱毛，在我們民族中間散佈物質主義的毒素。這一毒素發展到中國人以中國的倫理和道德為羞恥的時候，便是俄帝併吞我中國，滅絕我民族的時候。我們明白了這一點，才會了解共匪朱毛，為什麼定要騙使大陸上同胞子殺其父，妻殺其夫的緣故了。史達林蔑視宗教，他問道：「梵諦岡有幾師兵？」唯物論者亦必會問道：「中華民族倫理道德有什麼力量？」要知道這是一個人生價值和行為標準的問題。一個民族既已喪失了其共同尊重的人生價值，廢棄了其共同信守的行為標準，那自然就會子殺其父，

妻殺其夫，而願來做他所謂社會模範和民族英雄了。如果一個人到了這樣的時候，那他向暴力屈膝，對史達來做忠誠不二的奴才，豈不更是無足為奇的事嗎？這種民族，如果長此下去，當然要自招滅亡，然而我們領導國民革命，是決不能容許中華民族被人家來滅亡的。這是我們今日最大的責任，這亦就是我們現階段民族主義的大業。

照以上所說，可見倫理道德的力量，確就是維持民族生存的力量。膚淺之徒，不能深明此義，肆意詆毀倫理道德，這是非常可悲的。於是，我們亦知以倫理思想爲本質的民族主義，其特點亦是道德的。此種特點，當是中山先生思想之最正確的理解，「亦就是我們現階段民族主義的大業」。

第三、認識我們自己以伸張民族正氣。介石先生在「民族正氣」講詞中曾說：「我們革命軍人和革命黨員要澈底認識的是什麼？就是先要認識我們自己。認識我們自己的什麼？就是要認識我們自己的國家、自己的民族、自己的主義、歷史、文化，以及我們自己的職守和責任所在。就是要對我們自己所認定的主義以及其自己的國家、民族、文化、歷史、職守和責任等，凡義之所在的一切，就都要始終不變、生死不渝的，不惜爲他犧牲一切，來愛護他、保全他、拯救他，乃至貫澈到底。換句話說，就是不苟免、不怕死、不投機、不取巧。亦就是孟子所謂富貴不能淫，威武不能屈，貧賤不能移的人格。吾人之頭可斷，吾人之骨可碎，而吾人之志節，則決不可爲人所奪。」吾人若誠能培植我們民族倫理與道德的力量，則必能喚醒我們民族的靈魂，建立我們民族的人格與志節，而伸張民族的正氣。因此，以倫理思想爲本質的民族主義，其特點更是自覺的。此種特點，亦當然是中山先生思想最正確的理解，也就是反共大業成功的保障。

第四、將絜矩之道講到極點。介石先生在反共抗俄基本論中曾說：「因此我們要重中國內各民族平等合作的原則，努力促成各民族的團結，深信我國內各民族，鑒於烏克蘭集體移民的悲劇，波蘭集體屠殺的慘禍，必能披髮纓冠、救國自救，完成反共抗俄的使命。」又說：「在第二次世界大戰期間，我們中華民國爲設立國際和平機構、重建世界法律而努力。我們參加了聯合國憲章的起草，促成了聯合國組織的成立，至今仍爲聯合國憲章正義原則的支持者最力的一員。我們今後仍將本於憲章的精神，爲集體安全而奮鬥。」這兩段講詞所示的，就是將絜矩之道講到極點。我們中國的倫常之道，是以絜矩之道爲基礎的。所謂絜矩之道，是可以以「民之所好好之，民之所惡惡之」二語盡之的。大學曰：「所謂平天下在治其國者，上老老而民興孝，上長長而民興弟，上恤孤而民不倍，是以君子有絜矩之道也。所惡於上，毋以使下；所惡於下，毋以事上；所惡於前，毋以先後；所惡於後，毋以從前；所惡於右，毋以交於左；所惡於左，毋以交於右，此之謂絜矩之道。」推而廣之，凡別人強加於我們而我們不願接受的，我們亦不強加於他人，這就是絜矩之道。因此，我們講民族主義，亦歡迎別人也講民族主義，這就是將絜矩之道推到極點。這是以倫理思想爲本質的民族主義的最偉大的特點。吾人讀中山先生的民族主義，這種特點是非常顯然的。

就以上所述之民族主義的四大特點看來，則知以倫理思想爲本質的民族主義，既擴充了倫理思想的領域，也發展了民族主義的內容，倫理思想與民族主義的融會貫通，也就是傳統哲學與現代思潮的融會貫通，這當然是傳統文化獲得了新的開展。

四、民族主義的倫理思想與宋明理學

從介石先生所述之倫理思想的內容而言，仍然不外乎三達德五達道以及孝弟忠信禮義廉恥等之倫常道德。在形式上，這與宋明理學的倫常思想，可以說是完全相同的。但是，當倫理思想與民族主義結合後，則倫理思想，在本質上已不是宋明理學所想像的人倫思想了。所謂「父子有親，君臣有義，夫婦有別，長幼有序，朋友有信」，以及所謂君仁臣忠，父慈子孝，夫義婦順，兄友弟恭等之倫常道德，固非如仇視倫常道德者所認爲的乃統治階級的道德；然而此種倫常道德，實是以家族爲基礎的。當倫理思想與民族主義結合後，則民族主義的倫理思想，乃以公眾道德、國民道德、救國道德、革命道德爲其本質了，較之宋明理學的倫常思想，其意義是遠爲豐富的。這可以說是我們傳統倫理之昇華，是民族文化之現代化。於此，我們當然可以說，介石先生的倫理思想實是宋明理學最有意義的發展。

第三節　民權主義的民主思想與宋明理學

一、介石先生民主思想概述

第一、民主的意義與民主的生活方式。介石先生曾說：「民主是什麼？民主就是自由。所謂自由，要以不侵犯他人的自由、不侵犯他人的權限，更要嚴守紀律，必須以法律來保障

自由，爲實行自由的根據。這種自由，方能成爲真正的自由，方能成爲真正的民主。」⓫又說：「總理倡導三民主義，其民權主義的最終目的，就是民主政治。一國的人民，如果不能關切他們自身的幸福，管理他們自己共同的事務，就是說，如果人民不能積極參加政治的話，他們就不能造成強盛的國家。所以世界上最有力量最鞏固的政治，一定要建築在民意之上，一定是以人民之利害爲利害，人民之視聽爲視聽。人民的民權思想，是造成一個民有民治民享的國家，古今中外，理無二致。」⓬又於就任第一任總統時說：「我們必須遵重憲法、實行憲法、確立法治基礎。同時更須全體國民瞭解民主的真諦，向真正的民主而學習。要知道民主制度是一種生活方式，不僅表現在政治方面，也表現在經濟和法令以及各種職業的活動上面。民主國家的國民，決不放棄權利，也決不推諉義務。民主是要少數服從多數，但絕不是多數壓迫少數，更不容少數劫持多數。每一個公民要有自尊心，要有表達公正意見的機會，也要有接受批評和犧牲小我的精神。」就以上所述，則知介石先生所謂之民主是與法治及自由不可分的；是以多數人之意見爲意見，多數人之利害爲利害；但亦並不抹煞個人的意見，否定個人之人格尊嚴。民主制度是一種生活方式。儒家所主張的禮治，也是一種生活方式，然較之以自由與法治爲本質之生活方式，則禮治之生活方式實較爲遜色。有人認爲，禮治是以倫理思想爲基礎。禮治的生活方式既不若民主的生活方式，則倫理思想，當亦不如法

⓫ 見「國民參政會的任務」講詞（二十七年七月六日出席國民參政會開幕典禮講詞）。

⓬ 見「實行憲法的程序與步驟」講詞。

治思想。吾人認爲，以法治思想爲基礎的民主的生活方式，是以理與法爲根源的；以倫理思想爲基礎的禮治的生活方式，是以情與理爲根源的。從政治的觀點來說，民主的生活方式是可貴的；若從家族或民族的觀點來說，則倫理思想仍有其一定的價值。介石先生以倫理思想屬於民族主義的範疇，而規定民權主義的本質爲民主，這是具有深意的。

第二、天賦人權與革命民權。介石先生說：「總理是用民生史觀的眼光來研究社會進化的事實，從而說明民權的起源是一般人民爲要奮鬥求生存而漸漸演出來的。並非如盧梭所謂天賦。同時，民權的作用，也就是要使一般國民能夠獲得美滿的生存，並達成進化的目的。更有一點不可忽略的，就是總理所主張的民權，不能隨便賦予於不了解革命主義以及沒有誓行革命主義決心的一切人，這並不是國家對於民權有所靳而不予，乃是爲實現真正的民權而設定此必要之條件以爲之保障，所以本黨所主張的是革命民權而不是天賦人權。」⓭我們爲什麼主張革命民權呢？因爲我們「不但主張民權，而且主張最澈底的民權。因此主張我們中國的民權制度，不可倣效歐美只求趕上人家就算了事，一定要參考古今中外的制度，自己想一個最完善最澈底的辦法，真正實現全民政治。所以，總理說：『我們國民黨提倡三民主義來改造中國，所主張的民權和歐美的民權不同，我們拿歐美已往的歷史來做材料，不是徒仿歐美，要步他們的後塵，是用我們的民權主義，把中國改造成一個全民政治的民國，要駕乎歐美之上。』總理因爲主張最充分、最澈底的民權，所以不滿意現行的歐美民權制度，

⓭　總理遺教概要——政治建設之要義。

而特別發明五權憲法，要將我們造成一個真正實行全民政治的新國家。」（註同上）介石先生所主張的民權，完全是在於闡揚中山先生的民權主義，而贊成全民政治，而希望「一般國民能夠獲得美滿的生存」，而反對將民權隨便賦予不了解革命主義的人。但所謂「革命民權」，則與「無產階級專政」或「人民民主專政」是完全不同的。介石先生說：「俄帝匪共所謂『無產階級專政』與『人民民主專政』。依列寧所謂科學的定義，就是『無限制使用暴力，不受法律的拘束。』所以我們大陸上全體同胞，就要在他這『無限制暴力』之下，受盡了黑暗的地獄生活，和無量數的犧牲。我們是絕對的要反對『階級政權』的觀念，而且我們要反對一切少數支配多數的專制極權，我們始終反對神化史達林的神權政治。我們的三民主義者政治信念，是以法治保障民權。」⓮這完全是本於「國家主權在全體國民」的信條，並以法治為民權的保障，且希望民權不致落入不尊重民權之暴力集團。這從道德方面言之，是一種責任感；從政治方面言之，則是一個政黨所信奉的主義。由此亦可見信奉三民主義之政黨，其所期望實現之理想，完全是為了全體國民之幸福。

第三、自由與平等的正確理解。有人認為，獲得了平等，必失去自由。例如共產主義者，為求得經濟上之平等，其結果便喪失了人之自由。實際上，若喪失了自由，必不能獲得平等。共產主義的制度之下，一般人固無政治上之自由，又何嘗有經濟上之平等。博愛自由平等這三者是不可分的。此和宋明理學家所謂之仁義禮智是不可分的理論是一樣的。至於自由與平

⓮ 反共抗俄基本論第六章二節。

等何以是不可分呢？反共抗俄基本論中有非常清楚的說明。介石先生說：「我們反對把人當作物的共產主義。我們要尊重任何個人的人格尊嚴，但是我們要負反共抗俄的責任，也不能採取消極的放任政策和絕對的自由主義，故對自由與平等的意義，應加以闡明。子、自由有兩種意義。傳統的自由，就是個人孤立的觀念，即消極的意義來說的。簡單的說，傳統的自由只是消極的免除干擾的意思，三民主義的自由，卻是積極的服務人群，而發展自我的意思。丑、平等也有兩種意義。一種是法律之前的形式平等，一種是生活條件的實質平等。我們對於生活條件的平等，更須作正確的解釋。生活條件的平等，並不是報酬的同一，而是大家都站在具有基本生活的經濟條件，和基本知識的教育條件上，能得到公道的機會均等。至於報酬同一的平等觀念，就是 總理所說的平頭的假平等。大家如站在基本生活和知識水準上，得到機會均等的平等，就是 總理所說的立足點平等的真平等。一般人認定自由與平等是互相矛盾而不可融和的兩個觀念，乃是單就消極意義的自由與平頭的假平等來設想的。如果我們從社會化的觀念來理解自由，從具有基本教育條件而求得機會均等意義來解釋平等，那就不僅自由與平等沒有矛盾，並且自由與平等成爲一事的兩面，我們正確理解自由與平等的觀念，才能認識三民主義，乃是民族精神，民主常軌與社會正義的結晶。」就以上所述，則知自由與平等，可以視作「一事的兩面」，而無任何矛盾之可言。

第四、民主思想與傳統文化。介石先生曾說：「我們應當知道，中國民主政治基礎的深厚，是由於我們中國民權思想淵源的悠久。遠在三千年以前，我國自有文字記載以來，就有民權思想充分的表現。虞書說：『天聰明自我民聰明，天明畏自我民明畏。』孔子說：『民之所好好之，民之所惡惡之。』孟子說：『民爲貴。』這些古訓，都是民權思想的淵源，而我們中國傳統精神的結晶。我們 國父的民權主義，就是由此悠久深遠的文化所產生的。所以辛亥革命一經發動，四千餘年的君主政體和二百餘年的滿清專制，即被摧毀。其後袁世凱的帝制與張勳復辟，亦均歸失敗。這三十年來，經過無數次的內憂外患，都不能阻礙我們國民完成革命的要求。我們由此可以知道，凡是民族傳統精神之所在與人民堅強意志之所趨，就是國家基本力量之所寄。 國父的革命方略，在於喚起民眾，共同奮鬥。其民權主義的精義，在使人民有權，亦就是要全體人民來擔當國家之事。」⑮我們認爲，從以人民之好惡爲好惡，是可以產生「要全體人民來擔當國家之事」的思想的；但是，這是一種革命性的進步。這就是說，我們的傳統文化，確含有「民爲邦本」的民主思想；至於全民政治和法治主義的民主思想，則是中山先生所新創的。介石先生反共抗俄基本論中曾說：「我們深信中華民族有人本哲學和民本政治的傳統思想，更有發展人民政治和法治主義的固有智能， 總理手創五權憲法的宏規，就是我們民族固有智能的結晶。」民權主義的民主思想，介石先生認爲是以我們傳統的人本哲學和民本政治爲基礎而加以發揚光大。

依以上所述，吾人當知介石先生的民主思想，是對於中山先生的民權主義的篤行實踐，而又是融會貫通了傳統文化的真精神者。此所以不是歐美式的資本主義的民主思想，而是中國式的全民政治的民主思想。

---

⑮ 三十二年國慶紀念告全國軍民同胞書。

二、民權主義的民主思想與宋明理學

介石先生的民主思想，是融會貫通了傳統文化的真精神而又是對於民權主義的篤行實踐。所謂民主思想，其本義就是民主政治思想。亦即是以民主精神而融貫整個政治的一種思想。從現代西方的民主制度或民主的生活方式來說，我國古代的政治學說，是不如現代民主政治之完美；但是，卻不能說我國古代政治思想中，是缺乏民主精神的基礎。茲特分述於下：第一、在上一節中我們所提及過的絜矩之道，若擴而充之，便可演進為民主思想；而且，民主思想，必是植基於絜矩之道者。所謂絜矩之道，即是孔子所講的忠恕之道；所謂忠恕之道，即是盡己與推己及人。盡己是屬於純道德方面的。推己及人，固亦是屬於道德方面者，若擴而充之，則就是民主精神。所謂推己及人，就是「施諸己而不願，亦勿施於人。」例如我不願別人妨害我的自由，我亦不妨害別人的自由，這就是絜矩之道，也就是民主的真精神。所以民主政治，固然是一種法治，在本質上必仍然有一種道德精神為基礎。我們若能將忠恕兩字講到極點，當然便可以得到民主政治。於是，我們當可以說，民族主義是將忠孝兩字講到極點，民權主義是將忠恕兩字講到極點。這就是說，以絜矩之道或忠恕之道為基礎的儒家政治思想，在本質上是可以發展而為民主政治。第二、以上所謂絜矩之道或忠恕之道，是從仁心仁術而說的。又論語曾記有：「子貢問政。子曰：足食足兵，民信之矣。子貢曰：必不得已而去，於斯三者何先？曰：去兵。子貢曰：必不得已而去，於斯二者何先？曰：去食。自古皆有死，民無信不立。」過去許多人以為民信只是人民的信義。殊不知民信亦是指全國人民所必須信守不渝者而言。用現代的語言來說，民信就是人民所信奉的主義，及由主義所產生的根本大法。所以從道德觀點而講的信義，若擴而充之，則就是法治。法治可以說是將信義講到極點；而且法治是必須以信義之道德精神作基礎的。同時，儒家所謂之禮，亦更是法治精神所應具備之道德基礎。照這樣說來，以信義或禮義爲基礎的儒家政治思想，在本質上亦是可以發展爲民主政治。第三、宋明理學家的政治思想，完全是繼承儒家的以道德爲基礎的政治思想；而且，特別強調政治的道德，不大重視政治的方法。伊川曰：「治身齊家以至平天下者，治之道也。建立治綱，分正百職，順天時以制事，至於創制立度，盡天下之事者，治之法也。聖人治天下之道，惟此二端而已。」⑯宋明儒者，大體上是將治道與治法分開的。所謂治道，通常謂之爲大學之道；所謂治法，通常謂之爲周官之法。雖主張「二者不可以偏廢，然道爲制治之本，法爲輔治之具，必有關睢麟趾之意，然後可以行周官之法度。若外道以爲法，徒恃其具而不探其本，則亦三代以下之法，而非聖人之治矣。」（註同上）明道曰：「先王之世以道治天下，後世只是以法把持天下。」（註同上）濂溪先生亦曰：「治天下有本，身之謂也；治天下有則，家之謂也。本必端，端本誠心而已矣，則必善，善則和親而已矣。……是治天下觀於家，治家觀身而已矣。身端心誠之謂也。誠心復其不善之動而已矣。」（註同上）由以上所述，則知宋明儒者認治道是重於治法。我常常這樣的想，儒家講道德說仁義，其動機完全在於使當政者能不違乎治道。一般說來，有內聖的修養功夫，必能實踐外王的理想，這是無可置疑的。但是，若當政者不重視道德仁義；也就是當政者若缺乏內聖的修養工夫，

---

⑯ 近思錄卷八。

則儒家便沒有比較好的方法來實現其政治理想。宋明理學家特別重視治道而不大重視治法，從政治觀點來說，這是不切實際的，這亦是儒家的政治思想之所以未能演進而爲現代的民主政治。照這樣說來，我國古代的以及宋明理學家的政治思想，實並非缺乏民主精神的基礎，祇是未能發展而爲現代的民主政治而已。

介石先生的民主思想既是融會貫通了傳統文化的真精神，也當然就是對於宋明理學的融會貫通。宋明理學重視治道而忽視治法，乃是宋明理學家只知道以刻薄寡恩爲基礎的法家思想之爲害，而不識得現代的法治以及現代的民主生活方式，卻可以使德治或禮治的理想，能夠完全實現。中山先生的民權主義，是恰可以救「重視治道而忽治法」之弊。因爲民權主義是認定政府的官吏不能有自由。這就是說，凡政府官吏皆是國民公僕，皆「當停止其自由，爲人民盡職，以答人民之供奉」⑰。政府官吏既不能有自由，則當其不重視道德仁義而爲非作惡的爲害人民時，人民便可以主人的立場，而叱退此不法之公僕。於是，民主國家的公僕，必當重視內聖的修養工夫，而不能如專制帝王之唯我獨尊而爲所欲爲了。介石先生一方面是融會貫通宋明理學的政治理想，一方面又是篤行實踐民權主義；這就是使儒家以道德精神爲基礎的政治理想，能成爲以法治精神爲基礎的民主生活方式。當這種生活方式能如過去的禮教的生活方式成爲一般人的生活習慣之後，則民權主義與儒家的政治理想便是真的實現。這就是傳統文化最有意義的發揚，也就是民權主義最正確的實踐。

---

⑰ 民國元年　國父「共和與自由之真諦」演講。

第四節　民生主義的科學思想與宋明理學

一、介石先生科學思想概述

第一、科學的意義。介石先生認爲「科學就是我們中國以前所謂格致之學，而格致兩個字又是根源於大學致知在格物這句話而來的。」⓲什麼是「格致」呢？他認爲：「格致的意義就是要窮究事物，至其根本道理所在之處。」⓳所以「格致是做人做事最要緊的工夫，亦即修己治人的根本所在。」（註同上）格致之學既就是科學，何以「格致是做人做事最要緊的工夫」？有人認爲，說格致或科學是做事最要緊的工夫，此於理可通；因爲以科學的方法辦事，這是很正確的；而且，整個的自然科學的活動，亦可以說就是「做事」。若說格致或科學是做人最要緊的工夫，則似不相類；因爲做人全重於道德方面的修養，此與科學當毫不相干。殊不知所謂格致，乃「根源於大學致知在格物這句話而來的。」所謂致知在格物，「這就是說，學者如要認識真理、求得真知、充實智能，便先要格物。」（註同上）所謂格致，照朱子的說法是「至物」，照陽明先生的說法是「正物」。我們認爲，若真能至物，則必能正物；同樣的，若真能正物，亦必能至物。介石先生認爲：「朱王學說的內容，實質上歸根結底，仍是一致的。所以無論朱王爲學，都不外是窮理盡性、格物致知，不過其教人爲學的方

⓲ 見「科學的道理」講詞。

⓳ 大學之道下篇。

法，朱則要教人先研究事物而後歸之約，王則要人先發見其本心，而後使之研究事物，其實這祇是在邏輯方法上運用有所不同罷了。」（註同上）我們要知道，「歸之約」的結果，便可以發見本心。本心的發見，若用之於研究事物，則成爲科學的活動；若用之於修養身心，則便是道德的活動。於此當知「格致是做人做事最要緊的工夫」，應已毫無疑義。淺薄之徒，祇知西方科學家在自然科學方面之成就，而不知其所以有此成就之根源，馴致誤解科學的真義，這是應該特別說明的。至於何謂本心，在上一章中討論本體哲學時，已有較爲詳盡的討論，茲不贅述。

第二、科學的精神。介石先生所認爲的科學，既不與西方所謂之科學的涵義相違背，而又是融會貫通了我國文化的真精神而有所發揚者。由以上所述，當已瞭然。至於他所認爲的科學精神，即是指一種合理與客觀，確實與明白，嚴密與澈底的精神。他說：「科學的精神是甚麼？第一是合理與客觀，合理就是合乎科學的道理，照著科學的方法來做。」⑳又說：「科學的精神，第二是確實與明白。」（註同上）又說：「科學的精神，第三是嚴密與澈底。所謂澈底，就是要有本末，澈始澈終。所謂嚴密就是要一點一滴、一絲一毫，都沒有疏忽。」（註同上）這是他對科學精神的涵義所作的非常明確的界說，這界說使我們對於科學精神有非常清楚的認識。他對於嚴密與澈底是非常重視的。他在「科學的道理」中曾說：「科學的辦事精神，扼要的講，就是凡事要能實事求是，精益求精，繼續不斷，貫澈始終。……所以我

⑳ 見「對軍事教育的提示」講詞。

們切不可以一得自喜，以小成自足。這就是大學上所講的『苟日新，日日新，又日新』的道理，也就是我們所謂『實事求是，精益求精』之科學的辦事精神。」在「三民主義的本質」中也曾說：「真正的科學，其精神是在求合理、求真實，而其方法，乃在於澈底，在於精密。這樣才能算是真正的科學。」因其如此，所以科學精神，也可以說就是「因其已知之理而益窮之」的精神。而且，所謂精益求精，不是可以貪圖速效，乃是要能「日就月將有始有終的做去」㉑。照這樣說來，科學確是要以精神做根據的。因爲所謂「日就月將」、「精益求精」、「日新又新」、「貫澈始終」，皆都是精神的表現。他說：「大家都知道，無論任何科學，如果沒有精神來作爲根據，那決不能發生效力。」㉒於是，我們當知科學精神的涵義究竟是什麼了。

第三、科學的方法。介石先生說：「我們無論做什麼事，總要有一個科學方法。所謂科學方法的基本，就是『實事求是，精益求精』這兩句話。」㉓這就是說，科學方法是以科學精神爲基本的。至於介石先生所講的科學的方法，則是以科學的辦事的方法爲主。在「科學的道理」中，對於科學的辦事方法有非常詳盡的說明。他是將科學的辦事方法，分爲範圍與組織、立案與預備、分工與合作、研究與實驗、分析與統計、改進與發明等六個程序。這六

㉑ 見「四川應作復興民族之根據地」講詞。

㉒ 孫子兵法與古代作戰原則以及今日戰爭藝術化的意義之闡明（上篇）。

㉓ 見「剿匪基本工作之研究」講詞。

個程序，可以說是所有科學活動必須有的歷程。同時，對於科學的研究方法，在「訓練目的與訓練實施綱要」中，曾特別指出：第一、要注意環境與內容、現象與本質；第二、要注意因果與法則、根據與條件；第三、要注意抽象與具體、理論與實踐。這三者是吸收了現代邏輯的精神而應用於政治或軍事之研究方面。他所講的科學方法，除以上所述之思想歷程及研究方法外，更特別著重於求精、求實、求熟、求簡這四大原則。他常以古人所謂「精義入神」及「純粹，精也」來說明「求精的極致」；亦常以「精誠所至，金石為開」來說明「求實的極致」；更常以「人一己百，人十己千」、「雖愚必明，雖柔必強」來說明「求熟的極致」。至於所謂求簡，則是運用科學的分類的方法，而於繁中求簡。孫子曾說：「五聲之變，不可勝聽；五色之變，不可勝觀；五味之變，不可勝嘗；奇正之變，不可勝窮」。所謂求簡實，實就是從不可勝窮中而識得奇正，從不可勝嘗中而識得五味，從不可勝觀中而識得五色，從不可勝聽中而識得五聲。這就是叫做從繁中求簡。此實與科學的分類的方法類似。同時，求簡的目的，是在於能以簡馭繁，也就是要能提綱挈領。介石先生說：「我們無論是求學與辦事，一定要特別注重提綱挈領，纔可增進效能，獲得實益。古人說：『舉網者必提其綱，振衣者必挈其領』。又說：『一綱舉，萬目張；一本立，萬事理。』我們無論研究何種學問，或擔當何種事業，必須先本後末，得其綱領，然後循序漸進，纔可以得到最後的成功。」[24]因此，吾人當知求簡的目的，在於能提綱挈領；提綱挈領的目的，在於能「由近而遠，由卑

---

[24] 總理遺教概要第一講。

而高，爲大於微，圖難於易」。由此已可見介石先生所講的科學方法，確是非常完備而又切合實用。

依以上所述之科學的意義、科學的精神、科學的方法而觀之，吾人當已知介石先生的科學思想，是融會貫通現代的西方科學而對於我國的傳統文化有所發揚者。此所以他的科學思想，是融貫中西的，而不是純西方的。

二、科學思想與民生主義

從廣義的意義來說，民族主義與民權主義都是科學的。而且，介石先生所講的「科學的學庸」，亦是從政治的觀點來說的。爲什麼他不說科學的民權主義，而特別強調科學的民生主義呢？因爲民權主義的本質必是民主的，而民生主義的本質必是科學的。他說：

為什麼要說民生主義的涵義是科學呢？淺顯點說，因為民生主義，是全要用科學的方法和科學的精神，來促進民生主義實行的各種設施。總理說：「說到民生主義，因這裡千頭萬緒，成為一種科學，不是十分研究，不得清楚的。」又說：「民生主義……事實上，頭一個最重要的問題，就是吃飯問題，我們解決這個吃飯問題，是先要糧食的生產很充足，次要糧食的分配很平均。」這裡所指的生產，就是要用科學的方法，使土地豐產；這裡所指的分配，也是要用科學的方法，來從事合理的分配。因之，總理又說：「中國如將廢地耕種，且將已耕之地，依近世機器及科學方法改良，則此同面積之土地，可使其出產更多，故儘有發達之餘地。」總理還說：「要解決民生問題，應該用什麼方法呢？這個方法，不是玄妙的理想，不是空洞的學問，是一種事實，我們要拿事實做材料，才能夠定出方法。」由此可知總理的民生主義，不是單憑學理，而是根據事實做材料，來訂定的這個民生主義。證明這事實的是什麼，那就是科學。所以要實行民生主義，就是必要用科學，才能成功的。同時我們也知道實行民生主義的兩個方法：一個是平均地權，一個是節制資本，無論平均與節制，都要用科學的方法和精神來從事，尤其是要在民生的食、衣、住、行四大需要上，去從事科學之計劃、科學之管理與科學之發展。易言之，就是要用科學的方法來使我們的農業工業化，來使國家與私人的資本合理化，如此，始足以經由「耕者有其田」與「節制私人資本，發達國家資本」的途徑，確實做到總理所說的「以足民食」、「以裕民衣」、「以樂民居」、「以利民行」，也就是「以裕民生」、「以充國力」的目的。所以惟有民生主義，必須利用科學，纔能建設民生，且可證明行易哲學的道理，亦惟有科學能運用於民生事業上面，纔能表現科學本能的偉大與可貴，由此可知民生主義就不能離開科學，如果他離開了科學，而談民生主義，就無從實現，亦如同過去一樣，等於空談了。[25]

[25] 同註八。

就以上所說，吾人應該體認出兩點。即：第一、民生主義是必須以科學爲本質；第二、科學必運用於民生事業上面，才能表現科學的價值。此亦足證民生主義與科學之不可分。「科學的民生主義」，這確是一個非常有價值的觀念。

三、以科學為本質的民生主義

有人認爲，民生問題就是經濟問題。誠然，以足民食、以裕民衣、以樂民居、以利民行，我們不能說不是屬於經濟的範圍；但是，這衣食住行的問題，亦不是純從經濟的觀點；也可以說，不是純從物質的觀點便可以盡之的。而且，民生問題，除了衣食住行等問題外，還有育與樂的問題；育與樂，是不能強納入於物質或經濟的範疇，這是很顯然的。介石先生曾說：「民生主義要達到這『自由平等博愛的境地』，一方面固須具備物的條件，另一方面更要具備精神的條件。」㉖什麼是「民生主義建設的精神條件」呢？第一是社會道德；第二是國民知識與學問。這就是說，即令具備了民生主義建設的物質條件，若缺乏知識學問與道德，則民生主義的物質建設，仍將無法完成。照這樣說來，即令民生主義所欲解決的問題是純屬於物質方面的問題；然而必需是精神條件與物質條件的同時具備，才能使民生問題獲得圓滿的解決。因此，有人從唯物史觀或經濟史觀的立場而解釋民生主義，此實是對民生主義的誤解或曲解。民生主義，是以民生哲學爲基礎而建立其思想體系的。「民生哲學，最主要之點」，

㉖ 民生主義育樂兩篇補述。

是「承認精神與物質均爲本體中的一部分」，是肯定「宇宙與人生都必從心物合一論上，才能得到正確的理解。」（請覆按第二章第二節）因此，吾人欲正確的理解民生主義，是祇有從心物合一論的觀點，而決不能從唯物或唯心的觀點，這是無可置疑的。至於如何才是從心物合一的觀點而理解民生主義？那就是要建立「科學的民生主義」這一觀念。所謂科學的，是可以泛指科學思想與物質科學這二者而言的。也可以說，物質科學是科學思想的結果。有些人認爲科學的便是唯物的，這是祇見到科學思想的結果而忘記科學思想的本身。若真能瞭解科學的涵義，則知科學的決不是唯物的。同樣的，科學的亦決不是唯心的，這是可以不言而自喻的。如此，則知以科學爲本質的民生主義，必是從心物合一的觀點而對於民生主義所作的正確的理解。所以科學的民生主義，即是將心物合一的本體論或宇宙論而應用於人生方面，也當然就是民生哲學的實踐。再者，民生問題，固不是純從經濟的觀點便可以盡之的；但是，若離開經濟的觀點，便無民生問題可言。因此，科學的民生主義，不是從物質的觀點而談經濟，乃是「以民生爲本位」而談經濟。介石先生說：「經濟以人性爲基點，以養民爲本位。所以　國父說：『民生主義以養民爲目的，資本主義以賺錢爲目的。』又說：『社會進化以民生爲重心，不以物質爲重心。』申言之，中國的經濟道理，不爲了物而愛物，要爲了民而愛物，即所謂『仁民而愛物』；亦即以民生爲本位。」㉗又說：「我們中國經濟的道理是『正德、利用、厚生』，是以人性爲本，是以民生爲本，是要使物爲人所役，不要使人爲物所役。……

㉗ 中國經濟學說。

愛好和平的各民族各國家，一定要改造世界經濟制度和思想，使科學與技術順應人性的發展而爲人生服務。」（註同上）總結以上所述，吾人當知以科學爲本質的民生主義，是本於仁民而愛物之義，是爲了民而愛物，是要使物爲人所役，是要使科學與技術順應人性的發展而爲人生服務。這就是使科學的活動，以民生爲目的；民生的建設，以科學爲方法。結科學與民生爲一體，使科學真能爲人生而服務。我們知道中山先生的民生主義，常有各種不同的解釋，現經介石先生規定民生主義的本質爲科學，並規定科學順應人性的發展而爲人生服務，此不僅是最正確的理解了民生主義，也是使民生主義不致爲某些人所曲解或誤解。這對於錯誤思想的澄清，亦是有深遠的意義的。

四、民生主義的科學思想與宋明理學

吾人認爲，民族主義的倫理思想，是介石先生哲學思想之道德方面的實踐，是化家族倫理而爲民族倫理，是將忠孝兩字講到極點。民權主義的民主思想，則是其哲學思想之政治方面的實踐，是化內聖的修養工夫而爲民主的生活方式，是將忠恕兩字或信義兩字講到極點。（從道德的觀點來說，是將忠恕兩字講到極點；從法治的觀點來說，是將信義兩字講到極點。）民生主義的科學思想，則是其哲學思想之民生方面的實踐，是化貧富不均而使「享受大眾化」，是將仁愛兩字講到極點。他所規定的以倫理、民主、科學爲三民主義的本質；也可以說就是以忠孝仁愛信義和平爲三民主義的本質。三民主義實就是儒家外王思想的具體化與現代化。因此，無論民族主義、民權主義、或民生主義，必皆是與傳統文化或宋明理學有關聯的。至於民生主義科學思想與宋明理學的關係，茲特分述之於次：第一、宋明理學雖未能發展而爲現代的科學；但是宋明理學並非與科學不相容。上一章我們講介石先生哲學的方法論與宋明理學時，便已有所論述。第二、介石先生認爲：「人類要求生存，所以有各種的欲，有欲就有求。人類生存必需的物是有限的，人類的欲與求是無窮的，以有限的物質，供給人類無窮的欲求，人類便不免有鬥爭。農業社會的土地問題，工業社會的勞資問題，都是這樣來的。這些鬥爭有沒有止息的道理，有沒有止息的方法呢？有的，人類的天性原來是仁愛的，當然是有止息的道理和方法。」㉘這止息的道理和方法是什麼呢？他又說：「人的本性，以心爲耳目的主宰，所以人群裡面，便有一種理性作用。這種理性作用，爲使人群裡面各個分子，都能遂其生存，所以要有政府的組織，一面養人之欲，一面制人之欲。法則一定，分限一明，人便不至於跟著欲求走到鬥爭的路上去，社會上的財富也不至因爲來不及供應個人的欲求而致困窮。」（註同上）宋明理學與佛學之不同，是佛學否定一切欲求，宋明理學則承認人應該有正當的欲求。宋儒有人欲即天理之說，意謂人欲之得其正者即天理。「人類要求生存，所以有各種的欲，有欲就有求。」欲求自可分爲精神方面的欲求與物質方面的欲求。孟子曰：「可欲之謂善」，自是指精神之欲求而言。宋明儒者，重視人之精神方面的要求而忽視人之物質方面的欲求，科學的民生主義，則是以科學的成就而求滿足人之精神與物質方面的欲求。雖然介石先生主張「一面養人之欲，一面制人之欲」，然而制人之欲，其目的亦祇是求均而已。

㉘ 同註廿七。

我們可以這樣的說，佛學之否定一切欲求，這是逃避現實；理學之重視精神方面的欲求而忽視物質方面之欲求，這是承當現實；科學的民生主義，使科學爲人生服務，而一面養人之欲，制人之欲，這是改造現實。這亦可以說，是理學的精神加上了現代的科學方法，這當然是理學獲得了應有的發展。第三、吾人仍須作進一步陳述者，儒家之所以重視精神方面的欲求，是儒家欲求理性之擴充。儒家與法家是不同的：「儒家注重理性，故其學說之本源爲仁愛；法家注重欲望，故其學說本源爲法度。這是兩家的分別。然而儒家的仁愛，是就人類的理性而言；法家的法度，是對人類的欲望而言。儒家之所欲擴充者爲理性，法家之所以要制欲者亦爲理性。」一（註同上）這就是說，儒家之忽視物質方面的要求，其目的是在於擴充理性。殊不知使「享受大眾化」，這雖是重視物質方面的欲求，實亦是擴充了人之理性，這是宋明理學家所未能理解的。宋明理學家祇看到了社會法則而無視於自然法則。介石先生說：「離開了自然法則與社會法則（即物理與倫理）不獨人的生活爲不可能，亦且失去人之所以爲人的特性（人性）。此依照自然與社會的法則的生活方法，稱爲文化。一般動物不能體認此種法則，換言之，不能體認宇宙間本然之理，以改進其生活。只有人能夠體認宇宙間本然之理，故求生的活動便構成了文化的活動，而有不斷的進步。一切發明與創造都是宇宙間本然之理的實現。中國人崇拜的古代帝王和聖賢，沒有一個不是能夠體認宇宙之理而有發明與創造，以改進人民生活的人。五千年來，創造網罟耒耜的伏羲、神農、發明文字與弧矢的倉頡、黃帝，中國人都是一樣的崇拜他們。要知道這些制作，都是爲了改進人民生活，使其一步一步達到理想的境界，所以他們受後世的崇拜。如果離開了人民的衣食住行來談文化，以爲生活之外還有文化，或竟以一知半解的寫作爲文化，未免輕蔑了文化。在中國的經濟的學說上，文化與民生是一體不可分的。民生之外無文化，文化之外亦無民生。」（註同上）宋明理學家，並非不懂得「一切發明與創造都是宇宙間本然之理的實現」，祇因他們過分的重視個人的修養工夫（這並不是說，不應該重視個人的修養工夫，而祇是說，將一切工夫都用在道德的修養上，實未免有點過分）；也過分的重視賢人政治而忽視法治，過分的重視政治而忽視經濟，此所以他們看不到自然法則，而不知文化與民生是一體不可分的。科學的民生主義，實是擴大了宋明理學的領域而有所創新的。第四、科學的民生主義，是以實現大同主義爲其最高的理想。禮運篇的大同社會是什麼社會呢？介石先生認爲：大同的經濟制度是「貨不必藏諸己，力不必爲己」。這是說大同社會的生產是努力開發資源而以養民爲目的；大同社會的勞力是社會服務而不是工資勞動。所以大同社會的經濟制度是以合作爲基礎，以服務爲目的，這就是民生主義的經濟制度。至於大同社會的社會制度，則是「人不獨親其親，不獨子其子」。這是說在大同社會內，兒童不會失去教養，壯年都能得到職業，男女都有配偶，老年都有歸宿，家庭的生活安定，如有鰥寡孤獨，疾病殘廢，也都受到國家的保護和社會的扶助。這是民生主義育的問題之全部的解決。再次如大同社會之政治制度，是「選賢與能，講信修睦」。這就是民主國家主權平等的世界。在這世界裡，「謀閉而不興，盜竊亂賊而不作」，這是「天下爲公」的永久和平世界。同時，介石先生是主張由小康之治而進入大同世界的，這是民生主義建設的階梯。當民生主義建設的最高理想實現後，也就是實現了三民主義的最高理想。因爲大同社會之社會制度之實現，實就是擴大了親親的家族思想而爲不獨親其親的民族主義的理想之實現。大同社會之政治制度之實現，實就是主權在於全體國民的民權主義之實現。大同社會之經濟制度之實現，當然就是民生主義之實現。由此，亦足證民生主義之實現，是必須以民主與倫理爲前提；更足證三民主義雖是分之爲三，在本質上實是合之爲一。所以民生主義最高理想之實現，實就實現了政治民主（民權）、經濟平等（民生）、萬邦協和（民族）之大同社會，亦就是實現了三民主義之理想社會。此理想之社會，亦就是先秦儒家及宋明理學家所夢想的外王事業。這就是說，介石先生的治平思想實就宋明理學家外王思想的現代化與具體化。由此，我們應可以完全理解介石先生治平思想，實就是三民主義之實踐，亦就是宋明理學之發揚光大。

第四章　革命的教育思想

第一節　概說

易序卦傳曰：「有天地。然後萬物生焉。盈天地之間者唯萬物，故受之以屯。屯者盈也，屯者物之始生也。物生必蒙，故受之以蒙。蒙者蒙也，物之穉也。物穉不可不養也，故受之以需。需者飲食之道也。飲食必有訟，故受之以訟。訟必有眾起，故受之以師。」此所謂之師，即是保民之保；此所謂之需，即是養民之養；此所謂之蒙，即是教育。周易上經，即是講人類由蒙昧而日進於文明的過程。上經是始乾坤而終坎離。離就是表示文明。拙著周易哲學概論一書，曾有專章討論序卦傳之歷史哲學。從周易之歷史哲學來說，教育是歷史進化的最主要動因。因爲人類「能發蒙」，所以才會講求「飲食之道」。周易序卦傳之不以蒙次需，而以需次蒙此實含有至意。介石先生說：「大同世界的人性發展至於圓滿的極限。」❶人性發展至於圓滿的極限，這是大同世界最顯著的特色，也是大同世界之所以爲大同世界。從經

❶ 介石先生專著「中國經濟學說」。

濟的觀點來說，小康之治而至於極點，亦是可以達成「均富」的理想；從政治的觀點來說，小康之治而至於極點，亦是可以達成自由的理想。不過，此種自由祇能是法律上的，此種均富祇能是純物質方面的。法律上的自由，固有助於社會之文明；物質上的平等，亦有助於人之享受。然而物質之享受，最易引起人之精神上的空虛；社會之文明，卻常常發生難於彌補的缺陷。此小康之治之所以始終是小康之治。如何才能由小康之治以進入大同世界呢？這必須使人性發展至於圓滿的極限。人性如何才能發展至於圓滿的極限，這必須靠「蒙以養正」之「聖功」，也就是要靠能以「發蒙」之教育。蒙之大象曰：「山下出泉，蒙，君子以果行育德。」人性如「山下出泉」，亦如長江大河之發源地。大水之發源或山下之出泉，初時既易被遏止，且亦不知所適。發蒙之目的，教育之功用，在於使人性能如長江大河之源，依順流之性，而發展其所應有之發展，俾至於圓滿的極限而入於大海。由此可見人類要能從小康而進入大同，固應以小康之治作基礎，尤應發展教育的功用，俾人性能發展至於圓滿的極限。

教育的功用確是偉大的。內聖之功，外王之治，皆非教育不足以竟其功。孟子曰：「君子有三樂，而王天下不與存焉。父母俱存，兄弟無故，一樂也；仰不愧於天俯不怍於人，二樂也；得天下英才而教育之，三樂也。君子有三樂，而王天下不與存焉。」❷孟子在公孫丑上亦曾曰：「昔者子貢問於孔子曰、夫子聖矣夫？孔子曰、聖則吾不能，我學不厭而教不倦也。子貢曰、學不厭智也，教不倦仁也；仁且智，夫子既聖矣。」孟子是以教育爲「王天下不與存」

❷ 孟子盡心章上。

的三樂之中一樂。何以教育是如此重要呢？因爲教育是仁者之事，仁者對於教育的本身與教育的功用都是非常重視的。

介石先生亦認爲教育是非常重要的。他說：「教育是一切事業的基本。」❸又說：「教育乃是國家民族的精神與文化，亦即永久的生命根基之所託；所以教育的優劣成敗，即是國家民族興亡盛衰最大的關鍵。」❹又說：「若是一國教育根本失敗了，國家喪失了靈魂，則不僅亡國而已，而且一定要滅種。」❺依以上所示，足見他對於教育之重視。教育之成敗，不僅是決定國家之興亡，甚且影響民族之盛衰。教育是一切事業的基礎。人不發蒙，不僅人性不能發展至於圓滿的極限，即「飲食之道」亦不能有合理之發展。然則教育是什麼呢？

介石先生說：「教就是教導，育就是養育。合起來講，教育就是一面教導，一面養育。」❻又說：「教是著重一切學術技能與做人的道理之傳授與實習而言，育是著重體魄精神道德和生活的保育與訓練而言。教育雖是兩件事，但是彼此實有密切連帶的關係，必須並重兼顧，同時實施，然後才算是完全的教育。」❼這種寓教於育，或寓育於教的既教且育的教育思想，是很足以發揚周易歷史哲學的深意；由此亦可見他的教育思想，確是承繼我國傳統的教育精

---

❸ 見「今後教育的基本方針講詞。」
❹ 見「三民主義之體系及其實行程序」講詞。
❺ 見「救國教育」講詞，二六年在廬山暑期訓練團講。
❻ 見「訓練目的與訓練實施綱要」講詞。
❼ 見「為學之目的與教育之意義」講詞。

神而加以發揚光大。

第二節　三民主義的教育思想

介石先生的教育思想，可以說就是三民主義的教育思想。謹就三民主義教育的目的、方針、內容與方法等而說明他的教育思想是什麼？

一、三民主義的教育目的

第一、要使全國國民都能徹底的瞭解三民主義。介石先生說：「一國的教育問題，不只是如何增進一國國民的知識能力道德健康的問題，最主要的還是如何建立一國國民的共同信仰的問題。具體言之，就是要如何使全國國民有共同一致的思想，有共同一致的感情，有共同一致的操守，在一個主義一個國策之下，努力完成建國救國的神聖使命的問題。全國國民有了這共同一致的信仰，才有共同努力的目標，有了共同的目標，才能產生凝結磅礡的建國救國的偉大力量。」❽此處所指「共同一致的思想」，當然就是三民主義的思想；所以三民主義教育的最主要目的，就在於使全國國民都能澈底了解三民主義，確立共同一致的信仰，由共信而促成共行的以完成三民主義的理想之實現。

❽ 同註五。

第二、要發揚民族文化。介石先生說：「一個國家有一個國家的固有文化，一個民族有一個民族的歷史本源，我們如果忘了民族的歷史本源，拋棄本國的固有文化來談教育，這種教育，根本已失掉了獨立存在的立場。」❾又說：「我們要提倡民族文化，最要緊的還是要激發學者以遺棄民族固有文化爲恥的心理爲第一義。」❿又說：「經書是我們民族文化的精髓，總理嘗說他的政治思想，是上承堯舜禹湯文武周公孔子一貫的道統而來的。所謂『文武之政，布在方策』，這些思想的脈絡，就都彌綸在五經四書裡面。總理生平稱述不忘的禮運大同篇，以及我所整理過的科學的學庸，就都是四書五經的一部份。在這些經書裡，是有許多『放之天下而皆準，百世以俟聖人而不惑』的至理名言。當然裡面也有很多不適合於現代需要的章句，我們如要使糟粕盡去，精義燦然，那就是把四書五經裡面適合於現代需要的傳記、倫理、文化、思想以及政治、經濟、軍事、社會各部份，加以擷取，加以編次，加以解釋，使人簡切易知，都能篤信，都會實行，那才可以讓往聖之學，由闇而彰了。」（註同上）又說：「我們民族固有優美文化的精華所在的經書，正是國家和共匪鬥爭的有力武器，……研經窮理，愛護我們民族高尚的文化，乃是每一個革命者所應有的職責。」（註同上）依以上所示，吾人當可理解到，三民主義的教育，確應以民族文化爲基點，俾能研經窮理，以喚醒我們的國魂，恢復民族的自信，使我們的民族文化不但能夠綿延持續，而且愈要發揚光大。

❾ 同註五。

❿ 見「整理文化遺產與改進民族習性」講詞。

這當然也是三民主義教育的最重要的目的。

第三、要改造社會風氣。介石先生說：「政治風氣的轉移，尤賴於社會風氣的改造，而教育實爲改造社會風氣的動力。須知學術的講授，與政治的變遷，息息相關。不獨思想的改革，直接影響於社會風氣與政治風氣，即文學的改革亦發生重大的效果。古人說：『文學之變與政通。』在歷史上不乏其例。漢魏之間，輕篤行、重辭藻，士風從此趨於澆薄。唐末宋初，文體反於質實，則力行實踐的風氣因而復興。明清以八股爲思想的桎梏，爲官者不習政事，於是權歸胥吏之手。總之學術的講授爲國家命運之所繫，歷史的教訓具在，無可推諉，亦無可置疑。務望我學術界真了解今日實爲我中國文化繼往開來存亡絕續的最大關頭。自清末維新，中經辛亥革命、五四運動，以至於國民革命時期，因講學而改變學風，舉凡自由主義、國家主義、共產主義、無政府主義、世界各國所有的思潮，都經試驗，若深加考察，雖有不少的進步成分，散在社會，然而真誠篤實的風氣，終竟沒有造成。治學人士，不能實事求是，身體力行；或思而不學，閉目空談，自逞胸臆，妄立門戶；或學而不思，東塗西抹，人云亦云，無有定見。崇西化則捨己從人，尙國學則閉關自大。講學的人士，輕於發言，不負責任，附和流俗姑息取容，以箇人的私慾爲前提，而自以爲自由；以箇人的私利爲中心，而自以爲民主。以守法爲恥辱，以抗令爲淸高。利用青年的弱點，而自以爲青年導師，妄肆淺薄的宣傳而自以爲先進學者，極其所至，使國家爲之紛亂，民族因而衰亡。在這種潮流之中，求『以天下興亡爲己責』的人，真不多得，爲學講學的風習既然如此，而欲求社會風氣與政治風氣之改造，豈不是緣木求魚？然則今後學者與大學的師生應如何以自處，使在此國民革命時代中盡其革命一份子之義務？總望我國學者，務使學術切於人生的日用，文化歸本於建國的基業，切實體驗　國父行易哲學的真理，與革命力行的精義；智育與德育兼施，文事與武備相應；手腦並用，知行合一。如此，則社會與學術的風氣，方能根本的改造，而過去萎靡虛僞、浮躁誇誕的積弊，亦可以完全掃除，必須這樣，而後我們民族固有的德性與智能，和國家本來的地位，乃可以真正的恢復，而立國的基礎，乃能臻於鞏固強大。」⓫就這一段所述，深覺今日教育之所以未能轉移風氣，完全由於學風士習之積弊過深，欲改良此種風氣，當然也是三民主義的教育所亟需達成的目的。

第四、要完成國民「心理建設」的工作。介石先生說：「教育最重要的目的就是在改造人心，亦就是要樹立國民的精神，改良社會的心理。」⓬又說：「我們要用什麼方法來完成心理建設的工作呢？這個方法，要詳細講，當然很多，總而言之，不能不靠教育。」⓭在「心理建設之要義」中，也並就「聖諭廣訓」而說明所謂聖諭十六條，「凡普通修身做人的道理，都講到了，而獨獨不講『忠』的道理，亦不提『恥』的觀念。」（註同上）因此，「建設心理之道，即在恢復我們民族固有的道德，尤其是被滿清消滅兩百餘年的『忠』字，特別要發揚光大。大家要曉得：所謂『忠』，並不是講忠於那一個私人，而是要忠於職責，忠於團體社

⓫ 中國之命運第六章第二節。
⓬ 見「革命的教育」講詞。
⓭ 總理遺教概要——心理建設之要義。

會，忠於國家民族。如果我們大家盡忠於國家民族，國家民族便自然可以復興起來。」（註同上）吾人就以上所述，當知「心理建設」之工作，是應該教忠教恥以及其他的修身做人的道理，而達成正人心厚風俗的目的，這當然也就是三民主義教育所應有的目的。

第五、要建設新的社會生活。介石先生說：「教育應注意生活的改造，西方學者常說：『教育即生活』。可見生活改造，是教育唯一功用，我國近幾十年的教育，偏重於知識技能的傳授，而對於教育者本身生活的整飭，與受教者實際生活的指導缺少注意，所教所學的東西幾乎與實際生活毫不相關，或且根本脫節，以致教育自教育，而一般國民和青年的生活，完全不適合現在時代環境。」⑭又說：「教育是指導國民從舊社會瓦解中建設新社會的唯一方法，尤其是指導青少年適應新社會生活的唯一道路。」⑮照這樣說來，三民主義的教育，是應該以建設新的社會生活爲目的。

以上五點，是介石先生認爲教育所應有之目的，當然也是三民主義的教育所應有之目的。他說：「所以　總理三民主義各講，都是我們中國教育宗旨與教育政策的根據；也可以說一部三民主義就是中國教育的教範。其中民族主義各講就是中國文化與倫理教育的教範；民權主義各講就是中國政治與法律教育的教範；民生主義各講就是中國經濟與社會教育的教範。」（註同上）由此已可見介石先生所謂之教育即是三民主義的教育，亦由此更可見三民主義的教

---

⑭　見「軍事化的教育」講詞，二十八年招待第三次全國教育會議出席人員時講。

⑮　民生主義育樂兩篇補述第二章第三節。

育目的應該是什麼了。

二、三民主義的教育方針

第一、三民主義教育的基本方針。介石先生說：「我們要認定教育上一定的目標，要以革命救國的三民主義爲我國教育的最高準繩。」⓰這就是說：三民主義的教育是應該以三民主義爲教育的基本方針。詳細的說來：

第一、就是要恢復我們固有民族精神——亦即要恢復我們民族的倫理與文化。

第二、是要發揚人類固有的德性——要解除一切心靈，思想的禁錮，激發其本然的良知良能。

第三、是要尊重個人人格的尊嚴，並尊重一切人民的基本自由和基本權利。⓱

介石先生認定「這個基本方針，不祗是給予了今日青年們坦蕩的思想教育的出路，亦是給予了青年們莊嚴的思想戰鬥的責任。」（註同上）對於思想上受共產主義影響的青年，「只是他們本然的良知良能有待我們去啓發、去感應；他們潛蘊的道德力和精神力，亦正有待於

⓰ 同註三。

⓱ 四十九年青年節告全國青年書。

我們去鼓勵、去提攜。這就是我今天所以要鄭重的提出三民主義思想教育的基本方針來作爲對青年們『覺醒和責任』提示的道理。」（註同上）由此已可見三民主義教育的基本方針是什麼了。

第二、民族主義的教育方針。介石先生說：「我們今後的教育方針，要以民族主義做基礎，特別注重中國的倫理哲學，來確定我們的趨向。」⑱在民族主義的教育方針之下，因爲要「特別注重中國的倫理哲學」，所以要特別注重民族道德；同時是「以民族主義做基礎」的，所以必須注重愛國教育。他說：「教育的重心，在於提高國家民族的意識，和國民自覺的責任心。換言之，就是要以愛國爲中心。」⑲又說：「要教育一般國民使他成爲真正的中國人，就要按照黨員守則所列舉的條目，從根本上教他愛國、教他齊家、教他接物處世、教他立業治事、教他負責服務，故他強身助人、教他濟事和教他成功。而在這一切教育的根本科目中，都要拿中國固有的精神思想和道德，亦就是要將整個的中國國魂，貫澈其間，使深植於人人內心之中。」（註同上）祇有「將整個的中國國魂」，貫澈於教育的各種條目中，這才是真正的「以民族主義做基礎」的愛國教育，這便是民族主義的教育方針。

第三、民權主義的教育方針。介石先生於四十九年青年節告全國青年書中所講的「要發揚人類固有的德性」及「要尊重個人人格的尊嚴」，這可以說就是民權主義的教育方針。在

⑱ 見「教育救國與救國教育」講詞。

⑲ 同註十二。

此一方針之下，必須教育人民能行使四權，「必須人民能實行民權，然後可以建設真正的民主政治，才可以成功一個基礎強固的真正的民國。」⑳同時，一國國民能管理自己，方能管理國家；個個人能自己守法，才能達成法治。所以要實現民權主義政治，一定要培植國民的法治精神，養成人民的民主的生活方式。至於民主的生活方式之所以能養成，此必須「發揚人類固有的德性」。民主的生活方式，是建築在人類「本然的良知良能」之上的。如何以激發人類本然的良知良能？這就全靠教育方針的正確。他說：「一切教育者的生活應該再不是從前閉戶教書，優游自在的清閑生活，教育者不應該祇是按照學程傳習知識，視爲個人的一種生活根據或私人職業。今天的教育家，應該自認爲衝堅折銳的前線戰士，應該自認爲移風易俗的社會導師，應該自認爲篳路藍縷的開國先驅，應該自認爲繼絕存亡的聖賢英傑，今天我們再不能附和過去誤解了許久的教育獨立的口號，使教育者自居於國家法令和國家所賦與的責任之外，而成爲孤立的一群。」㉑這就是說，在民權主義的教育方針之下教育從業人員所應盡的責任確是非常重大的。

第四、民生主義的教育方針。吾人認爲，爲達成三民主義教育的目的，其教育方針應使人民能養成一種合於三民主義的生活方式。此即是要養成民族的生活方式、民權的生活方式、民生的生活方式。所謂民族的生活方式，此即是要擴大以倫理與道德爲基礎的家庭的生活方

⑳ 見「政治建設之要義」講詞。

㉑ 同註三。

式，而成爲民族的生活方式，此不是家庭生活方式之揚棄，而是家庭生活方式之內容更加豐富，倫理道德價值之更加發揚。所謂民權主義的生活方式，此即是要擴大以禮義或信義爲基礎的做人處世的生活方式而成爲法治的民權的生活方式，此不是舊有做人處世生活之揚棄，而是禮義與信義之道德價值，經法治之形式，而形成爲更合乎此種道德標準的生活方式。至於民生主義的教育方針，當然在使人民能養成一種合乎民生主義的生活方式。介石先生說：「民生主義的教育就是要教導一般青少年使其適應人民生活要求。」㉒這就是要養成民生的生活方式，所謂民生的生活方式此即是要擴大日出而作日入而息的自足的生活方式而成爲互助合作的社會的生活方式。此並非以集體生活而代替個人的生活，此是使孤立的個人生活而社會化。民生的生活方式，除物質生活之滿足外，尤須注重精神生活之修養。從物質生活來說，民族的生活與民權的生活，皆以能達成民生的生活爲目的；從精神生活來說，民生的生活，是以民主的生活爲形式，民族的生活爲基礎。若缺乏倫理道德的基礎，民主法治的精神，必無民生的精神生活可言；若缺乏應有的精神生活，則物質生活亦必是非常悲慘的。祇從民生主義的教育方針來說，除了應教育人民由於情感與理智的和諧，使一般國民的身心能夠保持平衡而獲得身心的康樂外，另外便要注重人民謀生的技能及爲國家造就有用的人材。介石先生說：「我們要研討民生主義教育方針，首先要指出的一點，就是教育的內容是包括著智育、德育、體育和群育。一個人要做獨立自由的現代國家的國民，一定要完全受到這四育，

㉒ 同註十五。

這四育合起來才是健全的教育。」㉓又說：「我國古代的教育是以禮樂射御書數六藝爲內容的。六藝教育的功用就是訓練一個身心平衡、手腦並用，智德兼修、文武合一的健全國民。」（註同上）德智體群四育兼修及手腦並用，這才能「適應人民生活要求」；於是我們當知民生主義的教育方針確是什麼了？

以上是本於介石先生的教育思想而說明了三民主義的教育方針究竟是什麼。

三、三民主義的教育內容

從民族主義來說，教育內容應以倫理道德爲主，亦即應以古代的經典及其有關之著作爲主。從民權主義來說，教育內容應以現代的民主政治爲主，亦即應以現代的政治思潮爲主。從民生主義來說，教育內容應以科學爲主。這三者是與德育、群育、智育相當的，於是再加上身體之鍛鍊，便成爲德群智體之四育。四育教育與古代之禮樂射御書數的六藝教育，大體上是相同的。此即禮樂爲德與群之教育，射御爲體育（射御亦兼有德育與群育之作用），書數爲智育。此當然祇是大體上相同。因爲今日之德群智體四育，在內容上與古代之六藝教育，應遠爲豐富與充實；尤以智育，更非古代教育所能企及。此當然是時代的進步。不過，「一個人要做獨立自由的現代國家的國民，一定要完全受到這四育，這四育合起來才是健全的教育。」㉔

㉓ 同註十五。

㉔ 同註十五。

這就是說，要做一個現代的健全的國民，除了要身體健康外，在思想方面必須要具備以倫理民主科學為本質的三民主義的思想，而且要養成三民主義的生活方式。這並不是說，祇要熟讀三民主義便可以滿足德群智三育之要求，而是說今日的思想教育是不超出倫理民主科學這三個範疇。因此三民主義的教育內容當然是以三民主義為內容；所以「也可以說一部三民主義就是中國教育的教範」（註同上）。

以上所說之教育內容，是就一個「健全的教育」所應有之內容的各類而說的。也可以說，三民主義的教育內容是應顧及以上所述之內容的各方面。因此，無論是家庭教育、學校教育、社會教育、軍事教育、職業訓練等等，都必須具備以上所述之各類內容才可以說是「健全的教育」；所以三民主義的教育內容，確是為健全的教育所必須。

四、三民主義的教育方法

第一、要教與育並重。因為完全的教育，是教與育「必須並重兼顧，同時實施」（同註七），所以在教育方法上，要教與育並重。介石先生說：「教和育是要兼行並施，才合乎教育的本義，才能達到教育的目的。整個教育的目的，簡單說來，是要使受教育者，能擴展、能成長，所以不僅是授與課程以擴展其知能，實在還要加以保護培育，遂使其生活之成長，我們從事教育與訓練，如果只知教而不知育，那這種教育就不能發生實際的效力。」㉕又說：「我們

㉕ 同註六。

教，同時必須注重育，無論學校教育、軍隊教育，或各種訓練班的教育，都要和家庭教育一樣，能夠寓教於育，真正要使學校當作一個大家庭，這樣纔能盡到教育與訓練的功效。」（註同上）完全的教育確是教與育應該並重，亦就是德智體群應該並重的。

第二、要注重教學做合一的生活教育。介石先生說：「一切學問，貴能實用，而求學方法，亦重在實習。如學工者必至工廠實習，學農者必赴農場試驗，而法科學生必從事實際之社會工作。蓋必如此，然後可以獲得職務上之實際經驗，了解社會上之實際情況，並養成其精神之必要修養，使與書本上之純理知識，互有印證，而融會貫通。亦必如此，然後一切學問才能得心應手、運用自如，乃能報效國家而有所成就。」㉖又說：「無論是學校教育或社會教育，最要緊的是注重生活教育，必須使生活與教育打成一片。」㉗此種「使生活與教育打成一片」而注重理論與實際印證的教育方法。當然就是教學做合一的生活教育，也就是知行合一的教育。

第三、要注重以身作則的人格教育。介石先生說：「所謂以身作則，就是古人所謂『不言而教』，也就是古人所謂『身教』，現在所謂『人格教育』。這種教育的感化作用最大，他是要在不言不語之中，而收潛移默化之效，申言之，即教者從自己一切作爲、飲食、起居、態度、語言、儀容等實際生活中給與受教的人，以種種好的典型與善的啓示（明示或暗示），

㉖ 見「立志為學與服務講詞。」

㉗ 見「改造教育與變化氣質」講詞。

以喚起一般受教者之同情與景仰，更自動的模倣而日趨於善。」㉘又說：「教育的方法，最緊要的要拿我們自己的人格來感化。」㉙以身作則的人格教育與教學做合一的生活教育，在本質上是相同的。不過，生活教育是適用於科學教育，人格教育，則適用於道德教育。一切教育，若缺乏道德教育做基礎，則此種教育之結果終必戕害人性而至於喪失人性；同樣的，一切教育，若不在生活中去接受體驗或試驗，其結果必是理論與實際脫節，而所教育出來的必都是廢物；所以生活教育與人格教育亦是一體而不可分的。介石先生說：「以身作則是身教，我們一切所言所教，凡是要求受訓人員作到的，首先我們自己要能作到。我們自己如能以身示範，再能心到、口到、目到、手到、足到，則無論講授功課、教練動作，或指導生活行動，傳授思想學問，一定能夠確實感化，事半功倍。」㉚這就是說，以身作則的人格教育，若祇就其「以身示範」來說，實就是教學做合一的生活教育。

第四、要注重「自動學習」精神之養成。介石先生說：「訓育方法應注重於啓發學員自愛自反自律之習慣，避免被動的強迫的執行紀律，時時要引起受訓者感覺藝術化、生產化、合理化的興趣和他的重要。」㉛又說：「訓練的要旨，務使受訓者對於本身工作任務，能夠

㉘ 見「政治工作人員的責任與今後應有之努力」講詞，民二二年五月政治會議開幕時講。
㉙ 見「黨政工作人員須知」講詞。
㉚ 同註六。
㉛ 同註六。

自覺自動、熱心積極，來澈底研究。」（註同上）又說：「在訓練方法上，我們不採用呆板的注入式，而注重相互間的研究、批評、討論、競賽、切磋以啓發受訓者自動自覺創造與負責精神。」（註同上）這就是說：自施教者言，固應以身作則而起示範的作用；但從受教者言，尤應自動學習，才真會有進步。因爲自動學習，可以說是「自我修養」之初步。缺乏自我修養的誠意，則教育的陶冶與朋友的規勸皆必毫無效果。所以自動學習精神之養成，確亦是教育的最重要之方法。

第五、要注重窮理盡性的哲學教育。介石先生說：「過去軍事教育不注重軍事哲學教育，因此表現於軍事行動上的就是無精神、無中心、無目的、無把握的心理；表現於軍人本身的，就是無責任、無志氣、無思想、無廉恥的醜態，所以其所作所爲、所想所念的，一切都陷於被動與消極的地位。」㉜因此，要求能主動的而有中心思想，對於窮理盡性，正德修身的哲學教育，確是應該注重。現在一般人是重視科學教育而忽視哲學教育。科學教育固應重視，但若忽視哲學教育，則哲學教育便成爲純技術的教育，而始終不能進步與創造。爲求發展科學教育，在教育方法上亦應該注重哲學教育。至於如何注重哲學教育，則就是應依哲學的方法而從事哲學之研究。

第六、要注重現代化的科學教育。介石先生說：「軍事科學教育的真諦，不僅在於注重各種方式的學習和記憶，而更應注重其精神的運用和發展。更明白一點說，就是每個人都要

㉜見「過去軍事教育之檢討與高級班成立之目的」講詞。

培養合乎科學的習性，隨時應用科學的方法，去運用一切，務使各種困難問題都能得到合理的解決。」㉝從教育方法來說：「每個人都要培養合乎科學的習性」，這是注重科學教育的最基本的原則。他說：「所謂科學精神，簡單的說：就是重客觀、重對象、求真相、求合理、求進步、求發展。」（註同上）此種科學精神之養成，便就是「合乎科學的習性」；此種科學精神，與窮理盡性的哲學精神，雖並不完全相同，確是可以相容的。

以上是本於介石先生的教育思想，而說明三民主義的教育方法是什麼。爲達成三民主義教育的目的，除以上之方法皆爲必需外，還須注重藝術教育與禮樂教育。他說：「軍事藝術教育比軍事科學教育還要更進一步，科學只是求精密、求正確、求實在、求徹底；而藝術更要求純熟、求和諧、求美滿、求恰當。」㉞因爲通常所謂之科學，是指科學技術而說的。科學技術是不若藝術境界之高深的。藝術是莊子所說的「技而進乎道」，也可以說是科學的哲學化。介石先生不僅注重科學教育，而且進一步的注重藝術教育，這是含有深意的。再者，他更注重禮與樂的教育。禮的教育，是以莊敬與有條理爲內容，樂的教育是以陶冶性情爲目的。教學做合一的生活教育，是應該與禮樂教育相配合，才可以收到合乎理想的效果。由此已可見，介石先生的教育方法，確是非常完備的。此種完備的教育方法，當可以達成三民主義教育的目的而無疑義。

㉝ 見「軍事科學教育的基本精神與意義乃其應用方法」講詞。

㉞ 同註卅二。

第三節　革命教育與革命哲學

一、革命教育的意義

在上一節中，吾人已依教育的目的、方針、內容、方法等項目，並引證介石先生所講的，而證明他的教育思想，即是三民主義的教育思想。所謂三民主義的教育思想，即是德群智體四育並重的教育思想，亦就是倫理民主科學與身體健康並重的教育思想。這與古代的六藝教育是大體上相同的。至於什麼是「革命教育」呢？介石先生說：「我要特別爲大家再次指出我們今後革命教育的重點是什麼？我們今後革命教育的重點：第一、就是要強調黨政軍聯合作戰，使黨政軍民在戰鬥上融爲一體，亦如陸海空勤在戰鬥上融爲一體一樣，來發揮高度的統合戰力，這在我『對黨政軍聯合作戰研究之提示及聯合作戰演習講評』裡，已經有了明確的提示。第二、就是要建立一個以哲學、科學、兵學相互聯繫貫通，有生命、有體系，完整而又有力的革命教育。」㉟依這一段所示，則知所謂「革命教育」，乃哲學、兵學、科學合一的教育。吾人認爲，介石先生所謂之哲學，既是指的「窮理、修身、正德」之學，則與其所謂之倫理文化，並無本質上的不同。「倫理是從人類本性上啓發人的自覺的」（請覆按第三章第二節）。窮理修身正德之學，實就是從人類本性上啓發人之自覺者。這樣說來，革命教育在本質上就三民主義的教育。固然，以科學、哲學、兵學三者合一的革命教育，與倫理民主

㉟ 見「革命教育的基礎」講詞。

科學三者合一的三民主義的教育，似乎是三民主義的教育缺乏戰鬥性，而革命教育則缺乏民主精神。其實不然。三民主義本來就是革命的主義；因此，三民主義的教育，在本質上就是革命的教育；而且革命教育的哲學基礎，實就是以我國的倫理文化作基礎。將倫理文化的忠恕兩字或信義兩字講到極點，這就是發揚了民主的真精神。以我國倫理文化作基礎的革命教育，並非缺乏民主精神，這是很顯然的。

二、革命教育與革命哲學

首先要說明的，什麼是革命哲學。介石先生說：「如果一個人不知道致知力行——修身，亦就不知道人生與革命是要什麼？是做什麼？更不知人生與革命的道理及其究竟了，這樣怎能革命？怎能做人？如果一個人連到人生是什麼都不知道，那還能知道做人的道理麼？這樣的人如何能革命呢？這樣糊糊塗塗的革命，還能望其成麼？……研究哲學的目的，亦就是要求其心之安樂而已，亦就是要求其所做的事心安理得。所以吳草廬說：『學者學此樂，樂者樂此學。』如果一個人對他所樂的東西，能夠如好好色，對他所惡的東西，如惡惡臭，那還有什麼不能力行，不能成功的事！所以古人說：『所欲有甚於生者』，亦有以死爲樂者，故『有殺身以成仁，毋求生以害仁。』這都是致知哲學的功效，所以我認爲致知的哲學，乃是一種求安求樂的學問，只要你能使內心明白與安樂，那還有什麼疑難的事不能解決？還有什麼天大的事不敢擔當？你看這個哲學對於我們人生對於我們革命事業的關係是何等重要。尤其你們高級幹部，階級越高，任務日重的同志，對於革命哲學，更不可不特別修養，確有心得才行。」（同註卅五）吾人研讀這一段所講的，則知所謂革命哲學，實就是求「內心明白與安樂」的哲學。因此，革命教育實就是求「內心明白與安樂」的教育。許多人因痛恨一般人所謂之革命，所以不喜歡「革命」二字。就以上所述，則知我們所謂之革命教育、革命哲學、或革命主義等等，與一般人所謂之革命是完全不同的。我們所謂之革命，是要從自己做起，即是從自己的「內心明白與安樂」做起；其他一般人所謂之革命，則是以打倒別人犧牲別人爲目的。這兩者是完全不同的。至於如何才「能使內心明白與安樂」，則就是需要使用本書第二章中所已討論過的一套方法。於是，我們應當然明白了：介石先生所謂之革命教育，即是學爲聖人的教育；其所謂之革命哲學，即是學爲聖人的哲學。介石先生的哲學思想，就是革命哲學的思想。什麼是革命哲學，除第二章第四節已有明確的陳述外，於此應更已毫無疑義了。然則三民主義又何以「能使內心明白與安樂」呢？這可以從兩方面來答覆：第一、若從三民主義的根源來說，亦就是從三民主義的哲學來說，這是「能使內心明白與安樂」的；因爲三民主義的哲學是以傳統文化爲基礎的。吾人祇要真能識得傳統文化的精神，便可以「使內心明白與安樂」。第二、若從三民主義的目的來說，亦是「能使內心明白與安樂」；因爲三民主義的最終目的，是大同理想之實現。理想的大同世界，固就是政治民主、經濟平等、萬邦協和；然而在本質上，必是能將忠孝仁愛信義和平（亦包括孔子所謂之忠恕之道）等八德講到極點，才真能實現大同的理想。吾人祇要真能將八德講到極點，必一定可以「使內心明白與安樂」。這也是進一步的說明了，三民主義就是革命主義，三民主義的教育就是革命教育。

第四節　介石先生教育思想與宋明理學

一、從教育目的來講

三民主義的教育目的，是要在「共同一致的信仰」下，發揚民族文化，改造社會風氣，完成「心理建設」，建設新的社會生活。這是融貫三民主義與宋明理學的具有建設性的教育思想。宋明理學家的教育目的，是祇著重於人之內聖工夫的養成。雖然也注重於移風易俗，卻祇著重於個人人格之感召，而求社會風俗之改良；至於對新的社會生活方式之養成，則並無創見。此所以從教育目的來講，介石先生的教育思想，固仍然以發揚民族文化爲目的，卻著重於推陳出新的而使往聖之學能夠現代化。我們可以這樣的說：宋明理學家是祇注重於教育之應改良社會風氣，介石先生則是更進一步的，「教育應注意生活的改造」。社會風氣的改造，及共同一致信仰的建立，這是祇需要發揚人類固有的德性，便足以達成其目的。這是屬於道德範疇的問題。宋明理學家是祇見到這類的問題。至於社會生活的改造，這完全是新的問題，這也是三民主義之所以超越前人的地方。介石先生融貫三民主義與宋明理學的具有建設性的教育思想，確是宋明理學的發揚光大。

二、從教育方針來講

三民主義的教育，既是以「恢復我們固有民族精神」及「發揚人類固有的德性」爲基本方針，則三民主義的教育方針與宋明理學的教育思想，在本質上是完全相同的。宋明理學是以發揚人之善性爲其自我教育與教育他人之唯一目的，亦以此爲其唯一方針。因爲宋明理學家是承繼孟子性善之說，而肯定人性是至善的；所以他們認爲教育的目的，祇須復其本原之初，亦就是祇須發揚人之善性。他們認爲：若能發揚人之善性，便可以從容中道。明道先生曰：「大抵學不言自得者，乃自得也；有安排布置者，皆非自得也。」㊱此所謂之自得，即是指從容中道而言。要真能從容中道，一定要反對安排布置。凡安排布置，皆不是從「人類固有的德性」上發出的。這就是說：若能發揚人之善性，則便能「心領神會，實得斯理之所以然」（註同上）。吾人認爲：學爲聖人之道，是必須反對安排布置，而應「默而識之，深而造之，融會貫通，至於冰釋，理順自然，必契其妙，油然自得。」（註同上）這當然應該是教育的最基本的方針。但是，人必須面對生活與社會的現實。人爲了能適應現實的生活與現實的社會，教育的方針自不能忽視現實方面。三民主義的教育方針，除確定了「發揚人類固有德性」的基本方針外，同時並確立了民族主義、民權主義、民生主義的教育方針。我們可以這樣說：介石先生所確立的三民主義的教育方針，是希望在人類的「本然的良知良能」之根基上而生出燦爛的三民主義的花朵。由此亦可見三民主義的教育方針，實是宋明理學的發揚光大。

三、從教育內容來講

㊱ 近思錄卷一。

因為三民主義的教育目的與方針，是宋明理學的教育思想之發揚光大；所三民主義的教育內容，亦必是宋明理學的最健全的發展。當然，三民主義的教育內容是以三民主義為內容的。以三民主義為內容的教育，在本質上即是德群智體之四育教育，亦與古代之六藝教育相通。以四育或六藝為教育的內容，此祇是從原則上講的。不過，我們可從介石先生早年所手訂之必讀書目❸⑦，而測知教育的具體內容。此一「必讀書目」可以說是一現代軍人所必讀之書目。推而廣之，若將此一「必讀書目」中有關軍人之必修科目換成其他各類之必修科目，則知共同必修科目，是以四書五經及有關之重要典籍與現代之西方思潮為主。於此，我們當知從教育內容上講，亦確是宋明理學的最健全的發展。

四、從教育方法來講

宋明理學的教育方法，此可以伊川所說者而明之。伊川說：「古之學者一，今之學者三，異端不與焉。一曰文章之學，二曰訓詁之學，三曰儒者之學，欲趨道，舍儒者之學不可。」❸⑧

---

❸⑦ 介石先生早年手訂之必讀書目於下：五經、四書、孔子家語、左傳、戰國策、六韜、孫子、吳子、管子、莊子、韓非子、離騷、史記、漢書、資治通鑑、西洋史、清史輯覽、普法戰史、拿氏戰史、日俄戰史、歐戰史、各種軍事學、戰時正義、巴爾克戰術、中國地理、古文辭類纂、諸葛武侯集、岳武穆集、文文山全集、戚武毅叢書、曾國藩全集、胡林翼全集、左宗棠全集、駱秉章全集、李鴻章全集、樊樊山批牘、中國哲學史、心理學、統計學、經濟學、社會學。

❸⑧ 近思錄卷二。

又有：「問作文害道否？伊川曰：害也。凡爲文不專意則不工；若專意則志局於此，又安能於天地同其大也。書曰：玩物喪志，爲文亦玩物也。……今爲文者，專務章句，悅人耳目，既務悅人，非俳優而何？曰：古者學爲文否？曰：人見六經，便以爲聖人亦作文，不知聖人亦攄發胸中所蘊自成文耳，所謂有德者必有言也。曰：游夏稱文學，何也。曰：游夏亦何嘗秉筆學爲詞章也。且如觀乎天文以察時變，觀乎人文以化成天下，此豈詞章之文也。」（註同上）由此已可見宋明理學家是不以學文爲教育之目的。他們的教育方法，是著重於實踐。雖然他們也知道要「觀乎天文以察時變，觀乎人文以化成下」，但其結果總是偏重於「德行」一科。我們認爲，欲真能達成宋明理學家所欲達成之學爲聖人的目的，除了應著重於「務實」、「主敬」等基本精神外，是祇有遵照介石先生所規定的三民主義的教育方法而切實施行。由此已可見三民主義的教育方法，亦確是宋明理學的最有價值的發展。

五、從革命教育的基礎來講

介石先生認爲致知哲學的功效，是「有殺身以成仁，毋求生以害仁」。這就是說：他是以致知與力行爲主的革命哲學，其終極的目的，在於能了脫生死。革命教育是以革命哲學爲基礎的，所以革命教育亦必以能了脫生死爲終極目的。了生死，實爲宋明理學最重要的課題。當王陽明謫貴州龍場驛驛丞時，「自計得失榮辱皆能超脫，惟生死一念，尚覺未化，乃爲石墩自誓曰、吾惟俟命而已。日夜端居澄默，以求靜一，久之，胸中灑灑，而從者皆病。自析薪取水，作糜飼之，又恐其懷抑鬱，則與歌詩。又不悅，復調越曲，雜以恢笑，始能忘其爲疾病夷狄患難也。因念聖人處此，更有何道。忽中夜大悟格物致知之旨，寤寐中若有人語之者，不覺呼躍，從者皆驚，始知聖人之道，吾性自足，向之求理於事物者誤也。」㊴由陽明此說，可見超脫生死，實較超脫得失榮辱爲難。了生死爲人生各種問題中之最後難題。此爲聖人與凡人之分野所在。能了生死便已入於聖域。革命教育既以了脫生死爲最終目的，可見革命教育之基礎即是以宋明理學爲基礎。

由以上所述，吾人當知介石先生的教育思想，確是承繼我國傳統的教育精神並融會貫通三民主義而加以發揚光大者。

㊴王陽明年譜卷一。

第五章 結論

第一節 介石先生思想的創造性與革命性

一、介石先生思想的創造性

中山先生在「中國之革命」一文中曾說：「余之謀中國革命，其所持主義，有因襲吾國固有思想者、有規撫歐洲之學說事蹟者、有吾所獨見而創獲者。」任何一種創造性的思想之形成，必皆是吸收現代的思潮並融貫傳統的思想而推陳出新者。就思想之「出新」而言，此必是「推陳」的；然一味的「推陳」，則必然的會變成「虛無主義」。虛無主義是沒有創造精神的。因此，所謂推陳出新，必是以「陳」爲種子，並以現代思潮爲養料，而藉以生根發芽的，終至於開出新的花朵與結成新的果實。此所以創造的思想必皆是淵源有自的。無源之水，何能匯成長江大河。於是，我們當知中山先生的「獨見而創獲」者，必是以「因襲」與「規撫」爲根基的。凡根基厚者，其創獲必大。中山思想的根基之厚與其創獲之大，這是現代中國人所難與比擬的。介石先生不僅是繼承了孫先生的革命事業，而且繼承了偉大的革命思想，並於實踐過程中，依據時代的客觀形勢與主觀要求，而有不斷的新的創獲。在主義方面，介石先生不祇是完成了「民生主義育樂兩篇補述」，以竟民生主義未盡之意；而且更明白的指示我們：「民族主義本乎情，民權主義本乎法，民生主義本乎理。」❶並認定三民主義的要點是獨立自由平等❷，三民主義的終極目的是民有民治民享❸，三民主義的中心思想是倫理民主科學❹。關於民族主義的倫理思想，民權主義的民主思想，民生主義的科學思想，這就是三民主義之實踐篤行與融會貫通，也就是宋明理學之發揚光大。在本書第三章中，我們已有較爲詳盡的闡明。我們認爲，凡對於某一思想，若真能實踐篤行而至於融會貫通，則必會有創造。因爲實踐篤行的結果可以至於融會貫通；融會貫通的結果則終必表現創造。所謂融會貫通，若果是毫無滯礙，則就是朱子所說的「而一旦豁然貫通」。陽明在龍場驛大悟格物致知之旨，亦即融會貫通的結果。所以融會貫通的結果便就是獲得了「直覺」（請覆按第二章第三節），也就是獲得了羅素所謂之「創造的心境」❺。這是說明了介石先生對於主義方面之新的創獲及其所以能有新的創獲的原因。再從哲學方面來說，介石先生一方面是承繼了而又發展了中山先生的民生史觀；另一方面則是本於「知難行易」的哲學而創立了力行哲學。關於介石先生在哲學方面之新的創獲，本書第二章已有較爲詳盡的闡明而毋庸再爲贅述。惟

❶ 見「三民主義之體系及其實行程」講詞。
❷ 見「國民革命與經濟的關係」講詞。
❸ 見「　總理生平之根本思想與革命人格」講詞。
❹ 見「建立三民主義中心思想」及「三民主義的本質」講詞。
❺ 羅素著西方哲學史，鍾建閎譯，中華文化出版事業委員會出版。

吾人必須理解者，介石先生思想的創造性之表現，實由於實踐篤行與融會貫通了主義與道統而又能有所發揚光大。

二、介石先生思想的革命性

第三章中我們講倫理思想時，曾提及「革命道德」；所謂革命道德，即是指智仁勇之三達德。第四章中講教育思想時，我們曾提及「革命教育與革命哲學」；所謂革命教育，即是學爲聖人的教育；革命哲學，即是學爲聖人的哲學。第二章我們亦曾明確的指出，介石先生是將宋明理學發展爲革命哲學。在這裡仍須略爲闡明的，即介石先生所謂之革命，「最要緊的基本條件，就是要有一個誠心誠意的誠字。」❻「就是要造成普遍的風氣，恢復人類的本性；亦就是要恢復我們民族固有仁愛的德性。」❼他在「革命魂」中亦曾指示我們：「就是革命的成功必須具備兩個條件。一是革命的精神，一是革命的方法。前者包括國家全部的歷史文化、民族固有的倫理道德，革命的主義和理論，以及因此而孕育成爲若干志士仁人爲國爲民冒險犯難犧牲奮鬥的精神；後者包括組織、制度、戰術、技能、紀律、情報等項因素。一個革命政黨，如果具備了革命精神，又能講求革命方法，那就可以保證革命一定成功，而且任何敵人都不能打敗他、摧毀他。」這是非常明確的指示了革命精神是什麼。於此我們當

❻ 見「革命軍人的哲學提要」講詞。

❼ 見「行的道理（行的哲學）」講詞。

可以說：介石先生確是以先秦儒學及宋明理學視爲革命精神之學。這或許會爲許多人所驚訝不已。然而這確是介石先生思想的革命性所表現的最顯著的特色，也確是宋明理學最健全的發展。宋明理學是祇有依照這個革命精神之學的途徑才可以獲得進一步的發展。許多人對於介石先生思想的革命性是認識不清的。介石先生思想的革命性，就是要從革除自己的舊染之污開始。「從軍知識青年第一期入伍講詞」中有云：「國父有言：革命必先革心。我以爲救國必先救心。這兩句話意義是一貫的。我們要救國，必先改革過去只知個人自私的心理，……對於從前的缺點要作一個根本的檢討和澈底的革新。你們必須屏除舊日國民和普通青年過去所染的僥倖、浮泛、好逸惡勞的惡習；必須拋棄放縱、散漫、自私自利的卑劣心理。」我們若無革除「個人自私」的決心，我們便不能真的懂得介石先生思想的革命性。介石先生思想的革命性，對民族國家或世界而言，這就是要發揮革命的大無畏精神，爲救國救民而犧牲奮鬥。然而這大無畏精神要如何才能造成呢？最主要的要靠慎獨的工夫，也就是要做到「誠心誠意的誠字」。介石先生說：「我們如能由慎獨工夫做到無念不正、無施不當、接物處事、修己教人，一切皆中乎節度、合乎事理，則不僅可以完成革命，保障民族的生存，還可以造成康樂的世界，使萬物皆得其用，人類各遂其生。」❽又說：「誠乃爲一切德性一切事業成功的基本要件。不誠則一切都是假的，都是空的，所以到最後一定要失敗。我們一切的德性和事業唯有根之於仁性，發之以至誠，拿一片赤忱來盡忠於國家和民族，盡忠於上官和部下，

❽見「中庸之要旨與將領之基本學理」講詞。

盡忠於朋友和同志，然後才能有真的道德和事業，才能真的救國革命，完成復興民族的大業。」（同註六）因此，介石先生思想的革命性，若就革命精神的修養而言，這就是要用第二章中所說的一套方法，而識得此心之本體。要能識得此心之本體，這確是需要最澈底的革命工夫。介石先生特別重視革命精神的修養，這確是非常獨到的一種真正的革命思想。此種革命思想，即是求整個內聖外王功夫之實踐；所以，介石先生思想的革命性，亦就內聖外王功夫的實踐性。於我們也應該知道了，介石先生思想的創造性，是以革命性爲基礎的。因爲革命是功夫方面的事，而創造性則是革命功夫的結果。這可以說是介石先生思想體系之所以形成。我們要真能認識介石先生的思想，這種理解也是必需的。

第二節　研究介石先生思想所獲得之啓示

一、我們應學會推陳以出新

介石先生繼承道統、服膺主義、融會貫通、多所發揚，已於以上各章所述。在上一節中，我們並已闡明了，介石先生思想的創造性是以革命性爲基礎的。同時，介石先生思想的革命性，實就是內聖外王功夫的實踐。吾人祇要有志於成爲一個真正的人；或者，祇要有救國救民的偉大抱負，便會覺得應該學習介石先生思想。除了自然科學，是應該依現代科學的成就及其所特定的研究程序或實驗方法而求更進一步的發展外，凡社會科學，欲求能有新的創獲，是必須以「因襲」與「規撫」爲基礎而又能融會貫通的以推陳出新。從這種創造性的觀點來說，中山先生與介石先生的思想，當然都是應該學習的；因為他們都是依這個途徑而完成其思想的創造性。再者，以現代自然科學為基礎的物質文明（科學的確不是物質的；然自然科學活動的結果，其成就的卻祇是物質文明）。與以倫理道德為基礎的精神文明，實為現代民主政治之所以獲得偉大成就的不可或缺的兩大要素。許多人祇見到西方民主政治所成就的物質文明而忽視民主政治的優良傳統。殊不知，若缺乏民主政治的優良傳統，是很難成就其物質文明的。西方民主政治的優良傳統，現日已在衰退中；或者說，現日已暴露了她的缺點。這似乎是物質文明的日益進步而促成了精神文明的日益衰落。物質文明的進步與精神文明的衰退是形成了強烈的對比。這種強烈的對比是表現了精神的普遍空虛。這是現代文化的真正的危機。西方民族大體上是以宗教的信仰而作為充實精神生活的最主要的途徑；然而促進物質文明的科學思想則與宗教信仰有無法調和的矛盾。在西方文化的領域中，科學與宗教信仰是不能相容的；但從我們東方文化來說，科學與倫理，則並不相互排斥。介石先生視為革命精神之學的宋明理學，也就是我們中國的倫理哲學，實可以調和現代物質文明與精神文明所形成的矛盾而有助於現代文化危機的消滅。這亦可看出以倫理民主科學為本質的三民主義之價值。吾人若果是看清楚了今日世界文化危機之所在而又有救世的抱負，則知介石先生思想確是應該學習的。然則我們應如何的學習他的思想呢？有人認為應熟讀講詞，並依分析綜合及歸納演繹等方法而研究他的思想以學習之。此說固未嘗不是；然而若以為學習他的思想之方法祇是如此，則將永遠不能懂得他的思想。此何以故？因為介石先生整個思想體系之所以形成，是有其所以形成的特點。吾人若不懂得本書第二章所闡明的一套方法，若不能從誠意正心修身的實踐中而識得此心之本體，則決不能真的懂得他的思想。他的思想是不能僅從文字理解而可以獲得真的理解。因此，吾人學習介石先生思想，固然亦應該依分析綜合或歸納演繹等方法而獲得文字方面的理解，尤應該依內聖外王功夫的實踐而獲得真的理解。這就是要依照他所講的切實認真的去體會，俾真能深造自得，而達到「六經註我，非我註六經」的境地；於是，才是真的懂得了介石先生的思想，也才是真的達成了學習他的思想之目的。

二、確信人之本性必能化解世界之危機

羅素在其所著「科學與社會」一書中曾說：「人類所處的地位猶如一個人正在爬上困難而危險的懸崖，在懸崖頂上有一片美麗的草地。他每往上爬一步，他的跌落（如果他的確跌下的話）就變得愈可怕些。每爬一步，他的疲倦就多增一分，而攀登也變得愈困難。最後，只有一步即達崖頂，但那攀登的並不知道，因爲他看不見突懸頭上的石頭上邊的情形。他疲倦得要死，他甚麼都不想，只是想休息。如果一鬆手，他就會永遠長眠了。希望鼓勵他說，再努力爬一步，也許只需要努力爬一步就成功了。諷刺卻反駁說，愚蠢的人啊！你不是一直在聽從希望的鼓勵嗎？看看它把你帶來甚麼境地吧！樂觀主義說，有生命存在，就有希望。悲觀主義咆哮著說，只要有生命，就有痛苦。這位疲倦的爬山者是再加努力呢？還是讓自己跌落深淵？再過些年，我們之中還能生存在世的就會知道那答案了。」❾羅素此一比喻是否完全

❾ 羅素著「世界之新希望」，張易譯，正中書局印行。

恰當，我們可姑置勿論；然而從人類今日的處境來說，這仍然是一相當有意義的比喩。我們可以這樣的說，今日西方世界所成就的生活方式，雖未登峰造極；但在物質生活方面，卻達到了相當理想的成就。這就是我們在上面所論及過的物質文明。此種物質文明是差不多淸除了貧窮，且大大的減少了疾病和死亡，並已大致的普及教育於人民。至於個人自由和全體秩序之間的調和，在西方的民主社會，亦已達到一種嶄新的程度。但是，由於極權的共產主義之存在，使人類面臨著毀滅性的核子戰爭的威脅。人類眞像置身萬丈懸崖之巓的邊緣，隨時有粉身碎骨之恐懼與萬劫不復之危險。雖然祇要再努力向上爬一步便可以渡過危崖，卻因爲精神的普遍空虛而似乎疲倦已極，似乎祇能接受不是毀滅便是奴役的命運而這最後一步是沒有力量爬上去的。許多妥協主義者即是在這種失望的情緒之下而甘願接受奴役的命運。這就是精神的普遍空虛所形成的失敗心理。在有志之士看來，接受共產主義的奴役，是遠比毀滅爲悲慘的。我們中國人的「寧爲玉碎，毋爲瓦全」的古訓是具有深意的。而且依介石先生所講的革命精神之學看來，人類固面臨著毀滅與奴役的威脅，卻仍然有勝利的希望。因爲依宋明理學的觀點來說，人性是至善的，人人皆具有本然之良知。祇因人有放心而不知求，以至爲人欲所蔽，而造成許許多多的罪惡或不善。若人類皆能求放心，則必能復其本原之初而止於至善；若能止於至善，則就是爬上了崖頂。以人性爲本善的宋明理學，是當然認定人可以止於至善的。因此，從宋明理學來說，人是一定可以爬上崖頂的。再從人類的歷史來說，自我們遠祖以來，人類所遭逢的厄運，當有較之今日爲更艱難而危懼的；然而人類畢竟能渡過許許多多的厄運並能獲得今日的成就。此與爬懸崖並不完全相類，此足可證明有機物的本性，爲了能適應其生存的環境而能不斷的求改進，以克服環境所付予的困難。達爾文的進化論，即有無數的例證而可支持我們的此一論證。於是，我們可以這樣的說，有機物的能適應的本性，便是我們人類能具有無窮希望的根源。由於希望的鼓勵，所以能渡過了無數的險阻與艱難。我們也可以這樣的說，共產主義之所以能造成如此之大的厄運，實祇是我們人類由於環境的某種不良影響而產生了追求人類最終理想的錯誤希望，並由於此種錯誤的希望而產生了錯誤的信仰。慘痛的教訓，是可以使人恍然大悟的。覺悟的人是會放棄錯誤的信仰而改正其希望的方向。這就是說，當人類在苦難與恐懼之生活中，而發覺其所生活的世界是日益普遍的不安，而且是日益普遍的趨向黑暗與至於不可忍受時，人類是會本於其自己的本性，亦即本於人類的良知良能而修正其錯誤的希望或信仰。此種由於人類的良知所產生的信念與力量，是可以突破一切障礙而引導人類渡過今日所處的危險關頭。這就是說，人之本性必能化解世界之危機。這是祇有懂得革命精神之學，亦即宋明理學的真諦者，才知斯言之不謬。這真諦究竟是什麼呢？這就是要能「由慎獨工夫做到無念不正」（同註八）。我們爲了救世，是祇有學習介石先生的思想，並須深造而有自得。再就今日困惱人類而未能使人類「再努力爬一步」的原因來說，大致可歸納爲下列三種問題：第一是種族的歧視；第二是生活方式或信仰體系的不同；第三是經濟利益的衝突。這三種問題，當可稱之爲民族問題，民權問題與民生問題。今日的世界問題是皆不超出這三種問題之外。介石先生說：「　總理曾經說過『二十世紀不得不爲民生主義擅場之時代』。六十八年來，不論國際政治潮流如何在衝激，人權理念如何被戕賊，科學文明如何受濫用，在在都只有更加證明二十世紀乃是三民主義的世紀。

尤其是在自由世界與共產集團鬥爭之中，特別顯示惟有三民主義，才能洞燭這一矛盾衝突的根源；惟有三民主義，才能提出澈底有效解決的方策；也惟有三民主義才能撥亂世反之正，以重建人類福祉的社會！所以二十世紀不得不爲三民主義擅場的世紀。」⑩因爲今日世界的問題，要能獲得圓滿的解決，除了要使人類都能過著物質的幸福的生活外，仍須使人類都能過著精神的幸福生活。人心中所累積而成的邪惡的感情，如猜疑、恐懼、貪婪、嫉妒、仇恨和不容忍等等，實皆是無法使今日世界問題能獲得圓滿解決的主要原因。此等邪惡的感情不能在人之心胸中完全除去，則凡是困惱人類的問題即無法獲得圓滿的解決。此所以我們欲能解決今日的困惱人類的各種問題，如何能淨化人類的感情，實在最首要的。介石先生認爲革命精神之學的宋明理學，固可以淨化人類的感情（因為人能識得此心之本體，則感情自可淨化，請覆按第二章）。同時，介石先生的民族主義的倫理思想，亦就是提供了淨化感情的方法（請覆按第三章）。所以以倫理爲基礎的民族主義，不祇是求民族問題的解決，而且是希望能求得精神的幸福生活。精神的幸福生活若真能獲得，則所謂信仰體系的衝突以及經濟利益的衝突亦必會迎刃而解。於是，三民主義的世紀不得不降臨，精神與物並重的哲學不得不大行其道。照這樣說來，我們的三民主義與傳統文化實是解決今日世界問題的最有效的方法。於是，我們欲真能解決困惱人類的世界問題，是祇有學習融貫主義與道統而有所發展的介石先生的思想。因爲吾人若真能懂得介石先生的思想，則知這個思想確是救國救民以至救世界的信心之

⑩ 見「復國建國的方向和實踐」講詞。

根源，也是救世的最有效的方法。至於何以是救世的信心的根源及何以是救世的最有效方法，除以上所闡明者外，在本書其他各章中，亦分別有較爲詳盡的敘述。

國家圖書館出版品預行編目資料

介石先生思想與宋明理學

周伯達著. — 初版. — 臺北市：臺灣學生，1999 [民 88]
面：公分. — (濱聞哲學集刊；6)

ISBN 957-15-0963-9 (平裝)

1.蔣中正 － 學術思想 － 哲學 2.理學 － 中國 － 宋(960-1279)
3.理學 － 中國 － 明(1368-1644)

005.78　　88004982

介石先生思想與宋明理學（全一冊）

著作者：周伯達
出版者：臺灣學生書局
發行人：孫善治
發行所：臺灣學生書局
臺北市和平東路一段一九八號
郵政劃撥戶：〇〇〇二四六六八號
電話：(〇二)二三六三四一五六
傳真：(〇二)二三六三六三三四
本書局登記證字號：行政院新聞局局版北市業字第捌玖壹號
印刷所：宏輝彩色印刷公司
中和市永和路三六三巷四二號
電話：二二二六八八五三

定價：平裝新臺幣一四〇元

西元一九九九年四月初版

08904-6

ISBN 957-15-0963-9 (平裝)